RETROUVER EN SOI
LA SOURCE DE LA JOIE

Sortir des difficultés quotidiennes, 2005.

Vous êtes une bénédiction, 2006.

Diriger les hommes, les éveiller à la vie, 2006.

À chaque jour sa bénédiction, 2007.

Ouvre grand mon cœur, 2007.

Anselm Grün

RETROUVER EN SOI
LA SOURCE DE LA JOIE

Traduit de l'allemand par
Christiane Lanfranchi-Veyret
avec la collaboration de
Gabriel Raphaël Veyret

SALVATOR
103, rue Notre-Dame des Champs
F-75006 Paris

Introduction

L A JOIE NE SE FABRIQUE PAS. Ce livre ne suscitera pas automatiquement en vous la joie. Mais il existe en chacun de nous, à côté des sentiments de tristesse et de colère, de peur et de dépression, un espace où la joie est possible. Or, nous sommes souvent coupés de la joie qui se trouve au fond de notre cœur. Par conséquent, nous croyons qu'il n'y a aucune raison de se réjouir. Il arrive même que nous nous défendions contre la joie qui sommeille en nous. Nous préférons geindre, parce que cela attire plus l'attention des autres que la satisfaction intérieure et un cœur joyeux. La joie possède plusieurs facettes : la paisible joie intérieure, que ni la déception ni la souffrance n'assombrissent, ou celle, explosive et extatique, qui nous donne envie de sauter de joie ; nous pouvons encore mentionner la joie d'être soi-même, la joie de vivre, la joie ressentie devant la Création et, enfin, la joie éprouvée en Dieu. Peut-être ne connaissez-vous que la joie contenue, car vous n'êtes pas de ces boute-en-train qui aiment animer une société. Soyez fidèles à la joie qui est la vôtre, ne vous contraignez pas à afficher une façon d'être qui ne vous correspond pas.

À l'église, j'ai souvent entendu des sermons qui m'exhortaient, en s'appuyant sur saint Paul, à me réjouir : « Réjouissez-vous toujours dans le Seigneur ; je le dirai de nouveau : réjouissez-vous ! » (Ph 4, 4.) De telles injonctions à me réjouir ont toujours provoqué en moi des sentiments équivoques. D'une part, j'éprouve une véritable aspiration à pouvoir me réjouir vraiment. D'autre part, j'ai le sentiment qu'il est trop facile d'exhorter à la joie. Je ne peux tout de même pas me réjouir parce qu'un autre l'exige de moi. Je ne peux pas être joyeux sur commande. La joie ne se fabrique pas. On aura beau m'expliquer que le Christ avait toutes les raisons de se réjouir parce qu'il était délivré, cela ne m'aide pas à éprouver une joie véritable. Cela me rend plutôt agressif. Je ne peux pas me réjouir toujours et partout. Je veux avoir le droit d'être triste, si cela correspond à mon état d'âme. Bien des personnes, qui parlent constamment de joie, laissent transparaître, derrière cette façade, une profonde tristesse et même parfois le vide et le désespoir. Pour cette raison, elles ne me convainquent pas du tout. Au contraire, j'ai l'impression qu'elles se forcent à être dans la joie et qu'elles s'encouragent les unes, les autres à extérioriser cette joie parce qu'elles ne la connaissent pas vraiment.

Dans ce livre, je ne suivrai donc pas ces exhortations un peu trop faciles à vivre dans la joie.

Je voudrais, en souvenir de tous ceux que j'accompagne et qui m'ont tant parlé de leurs blessures et de leurs souffrances, retracer le chemin qui les a finalement aidés à retrouver la vie. Et les manifestations de la vie ont toujours quelque chose à voir avec la joie. Chacun a en lui un espace où réside la joie, même si l'accès à ce lieu lui est difficile et s'il n'arrive pas toujours à entrer en contact avec lui.

J'aimerais bien plutôt décrire la voie qui aide à retrouver le goût de la vie

Mais nous nous sommes tous vraiment réjouis, au moins une fois dans notre vie. Nous savons donc, par expérience, ce que nous ressentons dans la joie et combien elle nous comble. Aussi est-il nécessaire de nous rappeler ces expériences de joie pour les revivre et sentir à nouveau leur puissance régénératrice.

La voie thérapeutique conseille de regarder ses blessures en face pour pouvoir les surmonter. Il faut donc les sentir et les vivre à nouveau pour qu'elles puissent se transformer et, ensuite seulement, nous pourrons nous réconcilier avec notre vécu, en assumant les nombreuses blessures subies. Ce processus est important, mais nous ne pouvons pas en rester là. Nous ne pouvons pas nous demander sans cesse ce qui nous a rendus malades. Il faut passer, au contraire, à l'étape suivante et examiner tout aussi minutieusement ce qui nous guérit[1], ce qui nous conduit à revivre. Ces derniers temps, j'ai rencontré de nombreuses personnes, qui ne cessent de remuer leur passé, qui s'escriment à faire remonter leurs blessures d'enfance, tout en cherchant à trouver les formes de thérapie qui pourraient encore les aider. Il ne faut pas fermer les yeux devant la vérité et, parfois, la vie elle-même nous ramène avec insistance à ces blessures. Dans ce cas, bien sûr, nous ne pouvons pas les négliger. Pourtant, bien des individus ont transformé cette recherche des blessures en une obsession : cela leur évite d'affronter les problèmes que la vie leur pose ici et maintenant. En revenant sans cesse sur le passé, ils font obstacle à la guérison et se privent de la vie pleine à laquelle ils aspirent.

---

1. Voir Anselm Grün et Wunibald Müller, *Ce qui rend les hommes malades, ce qui les guérit*, Paris, Desclée de Brouwer, 2001.

Cette quête de la joie m'invite à chercher, dans ma vie, les traces laissées par cette joie et par cette vitalité.

Au lieu de se retourner constamment vers les expériences négatives de l'enfance, rappelons-nous plutôt les événements heureux de notre vie, les moments où nous avons fortement ressenti l'envie de vivre. De tels souvenirs nous remettent en contact avec la part de notre être qui est pleine de vie. Ils peuvent très bien panser nos plaies : si ces blessures font, certes, partie de notre histoire, les souvenirs heureux peuvent les guérir plus vite que l'enfermement dans le malheur et les vexations passées. Ces manifestations de vie sont pour moi, en même temps, les voies par lesquelles Dieu se fait connaître. Pour moi, l'accompagnement spirituel consiste à aider les humains à retrouver en eux les traces de leur vitalité, car c'est en suivant ces traces qu'ils rencontreront le Dieu véritable, le Dieu libérateur et salvateur, celui qui les mène à la source de leur vie, à la joie de vivre, à l'unicité de leur être.

Entrer en contact avec la joie est bénéfique pour le corps et pour l'âme. C'est pourquoi ce livre aimerait vous inciter à retrouver la joie au fond de votre cœur. La lecture des expériences faites par les autres vous aidera peut-être plus facilement à retrouver la source de joie qui est en vous et à la laisser jaillir à nouveau. J'aimerais vous encourager, pour une fois, à considérer votre vie sous le signe de la joie. Vous trouverez, vous aussi, dans votre vie des traces laissées par la joie et l'envie de vivre. En suivant ces traces, vous pourrez découvrir le chemin que vous devez emprunter, aujourd'hui, pour connaître la plénitude et le bonheur, pour accéder à la singularité que Dieu vous a donnée et pour retrouver en vous les manifestations originelles de la spiritualité qui vous conduisent à Dieu et à votre véritable moi.

Accéder à la joie

LORSQUE J'AI COMMENCÉ à me pencher sur le thème de la joie, j'ai d'abord cherché si les philosophes ou les psychologues avaient des observations intéressantes à nous livrer. J'ai ensuite consulté les dictionnaires de théologie et la Bible. Naturellement, je ne voudrais pas ennuyer le lecteur en citant tous les attributs donnés à la joie dans tous ces textes. En effet, plus j'essayais de décrire la nature de la joie en suivant la philosophie et la psychologie, ou même en citant des versets de la Bible, et moins j'avais envie d'écrire. Aussi ai-je dû, dans un premier temps, laisser ce projet de livre de côté. Rien ne venait, et je ne voulais pas aborder ce thème avec un manque évident d'entrain. J'aurais certes pu écrire des choses justes sur la joie, mais je ne pense pas que j'aurais pu rendre cette joie contagieuse. J'ai bien senti qu'il me fallait trouver un autre biais. Certaines pensées lues chez les philosophes ont cependant été importantes pour ma réflexion personnelle. J'ai lu que la joie était avant tout l'expression de l'être, l'expression d'une vie intense et de la créativité. Nous ne pouvons pas aspirer directement à la joie. Nous ne pouvons qu'essayer de vivre intensément et de manière créatrice. Alors, la joie s'installera aussi comme l'expression de la vitalité et de la créativité.

Joie et plaisir

L'étude de la philosophie grecque a mis en évidence la séparation de la joie et du plaisir, et nous, chrétiens, nous en souffrons encore aujourd'hui. Quand les théologiens parlent de joie, ils évoquent surtout la joie apportée par la rédemption et l'amour de Dieu. Le plaisir était plutôt déprécié parce que sensuel. Il était jouissance des choses de la vie, goût pour la bonne chère et la boisson et pulsion sexuelle. Nous avons si bien intériorisé la séparation stoïcienne entre l'esprit et le corps que notre discours sur la joie a perdu à la fois toute sa sensualité et tout son sens : aucune joie n'en émane.

Les stoïciens ont eux aussi élaboré des réflexions intéressantes sur la joie. Ils nomment la joie *eupatheia,* un état d'âme empreint d'équilibre, une passion bonne. La joie n'est donc pas ennemie de la passion, elle n'est pas une passion destructrice, elle est au contraire constructive, salutaire, pleine de vie, une passion qui déborde d'énergie et de joie de vivre.

Nous pouvons essayer de vivre intensément et avec un esprit créateur

Épictète est un des plus importants représentants de la philosophie stoïcienne et il a exercé une grande influence sur les Pères de l'Église. Pour lui, la joie est la marque d'un homme sain, qui a confiance en lui et qui est en même temps en harmonie avec Dieu. Le but de ce chemin menant à la maturité est de « pouvoir rester dans la joie en toutes circonstances, même les plus fâcheuses[1]. » Nous devons donc, selon lui, pouvoir être contents malgré la peur et la tristesse, lorsque nous sommes malheureux et dans la détresse ou lorsque nous connaissons échecs et déceptions. La joie dont il parle est durable et bien plus profonde que l'euphorie et l'enthousiasme.

---

1. Otto Michel, « Freude », dans *RAC* VIII, Stuttgart 1972, p. 365.

La joie comme expression d'une vie accomplie

Aristote a développé une autre façon de comprendre la joie. Il considère la joie comme l'expression d'une vie accomplie et cette conception me séduit beaucoup chez lui. Celui qui réalise ses potentialités et qui, dans son activité, ne connaît ni blocages ni obstacles éprouve la joie la plus intense. L'usage juste de la raison et la créativité dans l'action sont les principales sources de joie. La joie est, pour Aristote, une énergie qui anime l'être humain et qui éveille la vie en lui. L'énergie apportée par la joie peut avoir sur nous une action bienfaisante lorsque nous avons été blessés et offensés. J'ai trouvé là matière à réflexion. La joie nous met en mouvement, elle est une impulsion salutaire. Elle nous apporte un élan vital et nous pousse à agir, ce qui peut s'avérer positif aussi pour les autres. Une personne qui s'engage de façon acharnée pour les pauvres ne fera rien émerger de positif de son action, même si elle met toute son énergie dans cet engagement. En revanche, celle qui s'attelle à une tâche, poussée par une joie intérieure, aura de meilleurs résultats et apportera aux autres une aide plus positive. Il émanera de son action une grande joie de vivre, elle éveillera donc chez les autres beaucoup de créativité.

La théologie a repris les pensées des philosophes. Parmi les nombreuses définitions théologiques de la joie, celle qui me plaît le plus, est celle d'Alfons Auer, un maître ancien de la théologie morale. Pour lui, la joie est « l'expression d'une véritable expansion de la vie en nous » : « La condition nécessaire à la joie est l'épanouissement et l'accomplissement de l'humain ; elle est leur reflet dans le domaine de l'affectivité[1]. » Cette conception de la joie libère de la pression de devoir garder le sourire en toutes circonstances.

Il ne s'agit pas de chercher à ressentir un sentiment de joie, mais bien plutôt de faire croître la vie en soi, de laisser s'exprimer sa vitalité, d'être créatif et en accord avec soi-même, de développer ses capacités et ses potentialités et d'éprouver du plaisir à sentir son propre élan vital.

Il faut faire croître la vie en nous

Joie et créativité

La psychologie s'est également intéressée au phénomène de la joie. Erich Fromm distingue deux sortes de joie : l'une provient de la satisfaction d'un besoin ou de la disparition d'une tension, comme par exemple lorsque, après une longue randonnée, nous nous réjouissons de rentrer chez

---

1. Alfons Auer, *LThK*, p. 362.

nous pour pouvoir déguster une bière bien fraîche.

La deuxième sorte de joie est l'expression de la créativité et du travail de l'homme. J'ai du plaisir à jouer, je me réjouis de vivre. Je me réjouis de ce que je peux faire et créer[1]. Comme la joie, *Plaisir du jeu* l'amour est pour Fromm également lié à l'abondance. La joie est à rapprocher de l'amour, mais d'un amour qui donne des fruits, qui est construit sur un respect mutuel et sur l'intégrité de chacun, qui ne tombe surtout pas dans la dépendance. Pour Fromm, la joie est une vertu, car elle suppose un effort en vue d'un travail fructueux. La vertu est, pour Fromm, aptitude et savoir-faire. La joie ne nous est pas simplement donnée en héritage. Elle est l'expression d'une vie que nous vivons passionnément, dans laquelle nous laissons s'épanouir toutes les capacités que Dieu nous a données. Par ces considérations psychologiques, Erich Fromm a voulu compléter les pensées des philosophes et les transposer dans notre monde d'aujourd'hui.

---

1. Voir Erich Fromm *Psychoanalyse und Ethik*, Zürich, 1954, p. 198 *s*.

Biographie de la joie

Verena Kast a apporté du domaine de la psychologie des réflexions semblables. Elle parle de la joie comme d'une « émotion noble[1] ». Le mot émotion vient du latin *movere,* remuer, bouger. Les émotions nous mettent en mouvement, elles nous poussent à agir ou alors à refuser d'agir quand on l'exige de nous. Les émotions nobles suscitées par la joie, l'inspiration et l'espoir dilatent notre être, alors que la peur nous rétrécit. Ces sentiments « nous donnent de l'entrain, nous stimulent, ils nous donnent une certaine légèreté, mais ils créent aussi des liens entre les hommes[2] ».

La joie a donc une fonction thérapeutique, elle joue un grand rôle dans l'amélioration de la santé psychologique de l'être humain. Elle lui donne vitalité, joie de vivre et le sort de l'isolement auquel la peur l'a contraint, elle le rend même solidaire des personnes qui l'entourent. Verena Kast *La joie est liée à la créativité* s'appuie sur différentes thérapies pour dire que l'expérience de la joie peut « provoquer un retournement décisif dans la vie d'un homme[3] ». La joie

---

1. Verena Kast, *Freude, Inspiration, Hoffnung,* Munich, 1997, p. 16.
2. *Ibid.,* p. 16.
3. *Ibid.,* p. 22.

ne se commande pas. Elle arrive quand nous ne l'attendons pas, par exemple « lorsque nous pouvons nous impliquer totalement dans une activité[1] ». C'est, pour Verena Kast, la condition essentielle pour connaître l'expérience de la joie : « pouvoir être absorbé par une activité, une action, un spectacle ». La joie est en effet liée à la créativité.

La découverte de la nouveauté déclenche une joie immense et cette joie a un lien étroit avec l'amour. Le fait de donner ne réjouit pas seulement la personne qui reçoit mais aussi celle qui donne. « Les relations humaines sont une source de joie, quand quelque chose peut grandir au travers de ces relations[2]. » L'enfant que l'on a en commun, l'œuvre accomplie ensemble, l'idée qui émerge d'une conversation, tous ces événements sont cause de grandes joies. Verena Kast a la même vision de la joie qu'Aristote ou qu'Erich Fromm. On ne peut pas viser immédiatement la joie, car elle est toujours l'expression d'une activité, de l'amour, de l'ouverture, de l'oubli de soi quand on a à cœur d'accomplir une tâche ou quand on aime.

On peut vivre chaque jour mille petites joies, on se réjouit du beau temps, de la beauté des montagnes ou d'une rencontre. Mais lorsque nous

---

1. *Ibid.*, p. 53.
2. *Ibid.*, p. 54.

sommes joyeux, nous n'analysons pas pourquoi, cela serait dommageable. Pourtant, nous devrions prendre conscience des petites joies quotidiennes et les savourer pleinement, cela nous met dans de bonnes dispositions et nous fortifie. Des études menées par des psychologues montrent que les personnes qui négligent les petites joies ou ne leur accordent pas d'importance, sont souvent « fatiguées, somnolentes, en mauvaise santé et tendues [...]. Dans ces conditions, on porte sur soi-même des jugements plus négatifs et surtout, on est moins créatif et moins raisonnable[1] ». Verena Kast invite par conséquent chacun de nous à écrire sa « biographie de la joie ». Elle pense que nous devrions nous souvenir sans cesse des moments où nous avons été heureux, pour comprendre comment et pourquoi nous nous sommes réjouis. La biographie de la joie nous permet de considérer notre histoire en nous posant les questions suivantes : « Comment ai-je vécu la joie ? Comment l'ai-je repoussée ? Comment me suis-je interdit de la vivre ? Et : Qu'est devenue cette joie au cours de ma vie ? A-t-elle grandi[2] ? » Si nous considérons

Dans les moments de joie, nous étions en accord avec notre vie

---

1. *Ibid.*, p. 55.
2. *Ibid.*, p. 57.

notre vie sous cet angle, nous retrouverons les traces de notre vitalité, nous nous relierons aux forces régénératrices qui sommeillent en nous. C'est une sorte d'autothérapie, qui peut être plus efficace que de longues et difficiles années de thérapie.

Pour cela, il ne suffit pas de réfléchir seulement aux instants porteurs de joie mais encore aux mouvements, aux gestes que nous aimions faire quand nous étions petits pour exprimer notre joie.

Si nous nous efforçons d'écrire notre biographie de la joie, nous entrerons en contact avec nous-mêmes, car nous ressentirons à nouveau cette joie ancienne. En ces instants de joie, nous étions en accord avec nous-mêmes et avec notre vie. Ces moments de joie passés nous inviteront à dire, aujourd'hui encore, oui à notre vie, oui à ce que nous sommes devenus ; ils nous inciteront à ressentir que nous faisons un avec nous-mêmes. Lorsque, par le souvenir, nous pouvons nous relier à d'anciennes expériences de joie, nous sentons croître en nous la joie de vivre. Notre système immunitaire est mieux armé contre les agressions. Du sentiment de joie émane une force régénératrice. La question est maintenant de savoir pourquoi nous nous remémorons plutôt nos blessures que nos joies. Apparemment, beaucoup d'entre nous ont, dans leur enfance, remarqué que leurs parents leur accordaient plus d'attention lorsqu'ils allaient mal. C'est pourquoi, aujourd'hui, nous nous appesantissons sur nos malheurs, en pensant que cela attirera l'attention des autres. Mais c'est une mauvaise stratégie, elle n'entraîne que des déceptions car notre quête d'attention est infinie et insatiable. En revanche, se souvenir des joies passées et se réjouir de ce que nous apporte la vie ici et maintenant sont des façons positives de s'occuper de soi-même. Le fait de dépendre constamment de l'attention des autres est l'expression d'un manque. Au contraire, si nous savons nous réjouir des petites choses du quotidien, cela prouve qu'en nous la vie afflue en surabondance. Nous pouvons alors, par cette capacité à nous réjouir sans cesse, la faire jaillir.

Retrouver en nous
les traces de la plénitude

DANS NOTRE MAISON de récollection, j'accompagne, avec trois autres frères, des prêtres et des religieux qui séjournent chez nous durant trois mois parce qu'ils ont besoin de se retrouver. Souvent épuisés par leur travail, ils ressentent, parfois, un vide spirituel. Ils n'ont plus de liens avec eux-mêmes ou avec Dieu et ne sentent plus la vie en eux. Ils traversent une crise liée à leur activité et ne savent plus dans quelle direction aller. En tant qu'accompagnateurs spirituels, nous nous sommes demandé comment différencier notre accompagnement d'un suivi thérapeutique. Nous sommes tombés d'accord pour dire qu'il fallait retrouver en eux les traces de la plénitude. Là où l'on se sent vivant, où l'énergie commence à abonder, on rencontre Dieu et on peut aussi découvrir en soi les premiers signes de la spiritualité.

Si, avec Aristote, Erich Fromm et Verena Kast, nous comprenons la joie comme étant l'expression de la vie, d'une activité féconde et d'un grand accord avec soi-même, alors, les manifestations de la vie sont aussi celles de la joie. J'entends souvent mes hôtes dire qu'ils se sentent vivants quand ils font de la randonnée, qu'ils éprouvent alors une immense joie de vivre. Ils marchent et se sentent libres. D'autres ressentent tout cela lorsqu'ils jouent de la musique ou qu'ils écoutent de la musique classique. Certains sentent la vie s'éveiller en eux quand ils écrivent. Je vois leur visage s'éclairer lorsqu'ils évoquent ces moments où *Découvrir* ils ont vraiment l'impression de *sa propre* vivre. Je les vois se redresser, *spiritualité* alors qu'ils étaient effondrés en parlant de leurs blessures et même leur voix change. La vie passe dans leur voix, dans leur attitude, dans l'expression de leur visage.

En sentant la vie se manifester en eux, ils découvrent souvent leur propre spiritualité, non celle qui leur viendrait d'un maître spirituel, mais celle qui émane de leur cœur. C'est cette spiritualité qui constituera le chemin qui les conduira à recouvrer santé et accord avec eux-mêmes.

Retrouver les traces de la joie chez l'enfant que nous étions

Ces dernières années, je ne me suis pas contenté de demander dans quelles circonstances les uns et les autres se sentent vivre vraiment *aujourd'hui*. Comme certains évoquaient leur enfance malheureuse, des vexations, des situations désespérées, je leur ai plutôt demandé où ils s'étaient sentis le mieux, dans leur enfance. Ils m'ont alors dit quels moyens ils avaient découverts pour échapper à une situation familiale pesante ou morbide, quelles stratégies ils avaient développées pour réagir aux tensions qui régnaient chez eux. Ils ont dû se remémorer l'endroit où ils se réfugiaient et l'activité qui les aidait le plus. Je pourrais aussi, comme Verena Kast, leur demander ce qui les réjouissait quand ils étaient petits, ce qui les reliait à leur joie d'exister. Je suis convaincu qu'un enfant trouve par lui-même le moyen de vivre, même dans les situations les plus difficiles. Un enfant sait instinctivement ce qui est bon pour lui et ce dont il a besoin pour vivre. Je pourrais aussi, comme John Bradshaw[1], parler de l'enfant divin que nous

---

1. John Bradshaw, *Das Kind in uns*, Munich, 1992, p. 342 *s.* (*Retrouver l'enfant en soi*, Éditions de l'Homme, 2004).

portons tous en nous, qui connaît nos véritables désirs et sentiments, celui qui nous montre la voie qui nous permettra de laisser vivre notre véritable moi. C'est un chemin d'autoguérison, un chemin sur lequel chacun peut découvrir les sources de sa spiritualité. C'est elle qui l'aide aujourd'hui, qui lui fait retrouver les forces dont il a besoin pour guérir des blessures du passé et pour revivre. Lorsque l'adulte peut refaire ce chemin et reprendre contact avec sa joie de vivre, il sent jaillir en lui une source de joie, plus vraie et plus profonde que tous les bons conseils qu'on pourrait lui donner. Je me rends compte, alors, que la conversation prend un tout autre tour et que cette personne cesse de se plaindre de ne pas arriver à mener une vie spirituelle. Disparaît aussi le sentiment d'échec dû aux blessures du passé qui rejaillissent en détruisant les efforts faits pour mener une vie plus positive. Tout à coup, germe l'espoir d'une vie réussie et naît le sentiment qu'il y a en nous un noyau de vie totalement sain, comme un bourgeon qui ne demande qu'à s'épanouir.

Remonter aux sources de ma spiritualité

Pour moi, accompagnateur spirituel, l'autothérapie est toujours une preuve de spiritualité vivante, ancrée en nous. Un grand nombre de personnes se plaignent, au mitan de leur vie, d'un manque de vie spirituelle. Elles ont l'impression que la spiritualité leur a été imposée par les parents ou par l'Église. En conséquence, elles se sentent désorientées et pensent que Dieu est pure imagination. Elles ont consacré beaucoup d'énergie à la prière, à la méditation et au silence. Pourtant, tout cela leur paraît vain. Le chemin spirituel était pour elles essentiel, elles n'auraient pas pu s'en passer mais, dorénavant, ce n'est plus le cas. Elles ne peuvent plus prier, la méditation leur semble vidée de son sens, Dieu leur a échappé, leur a filé entre les doigts, ce qui provoque en elles une profonde crise. Certaines essaient alors de se raccrocher à leurs habitudes, mais elles échouent, ne réussissent absolument pas à méditer, se sentent si vides qu'elles perdent de vue le sens même de la méditation. La résistance intérieure grandit

Quand, dans mon enfance, je me suis senti en accord avec moi et avec le monde, je ne faisais, en fait, qu'un avec Dieu

tellement qu'elles finissent par renoncer à prier ou à méditer. Elles ne voient pas non plus comment sortir de leur désespoir.

Pour en sortir, il faut redécouvrir les signes très personnels qui nous faisaient, lorsque nous étions enfants, ressentir la proximité de Dieu. Il nous faut revivre ces moments où nous nous sentions si bien. Alors que je me sentais en harmonie avec moi et avec le monde, j'étais aussi uni à Dieu. C'est là que se trouve la véritable spiritualité, celle qui n'est imposée par personne, mais qui, bien au contraire, m'a fait rencontrer Dieu. Lorsque je retrouve ce chemin, ma vie spirituelle peut s'épanouir à nouveau.

Les adultes que j'écoute me font souvent part d'expériences archétypales, lorsque je leur demande d'évoquer les moments où ils se sont sentis bien dans leur enfance et d'expliquer leurs réactions face aux blessures et aux situations insupportables. Leurs récits sont étrangement semblables. Je vais donner l'exemple d'une femme qui se sentait complètement épuisée. Elle croyait que le travail était la cause de cet épuisement et que des vacances lui feraient du bien, mais ce ne fut pas le cas. J'ai donc deviné que cette fatigue extrême était liée à la structure interne de cette femme. Quand elle était petite, elle avait toujours eu l'impression de devoir faire attention pour ne pas être grondée, pour éviter les disputes entre son oncle et ses parents. Elle avait grandi avec l'impression qu'on lui en demandait trop : « Comment contenter mon oncle ? Comment réussir à faire tout ce qu'on me demande ? Espérons qu'il n'y aura pas de conflit ! Que puis-je faire pour que tout aille bien ? » Ce sentiment de toujours devoir contenter les autres était la cause de son épuisement. Elle était constamment tendue, ne pouvait jamais se détendre. Les conflits d'aujourd'hui lui faisaient revivre ces tensions vécues dans l'enfance et lui prenaient toute son énergie. Je lui ai alors demandé de me décrire l'endroit où elle se sentait bien quand elle était petite. Elle m'a répondu qu'elle creusait une sorte de caverne dans le foin où elle se réfugiait et se sentait bien, comme protégée. Là, aucun conflit ni aucune dispute n'était possible. Elle y retrouvait sa joie de vivre, car elle était en accord avec elle-même.

La caverne est un symbole du ventre maternel. L'enfant avait découvert un moyen de revivre en effectuant une régression bénéfique. Mais elle avait trouvé une autre façon de s'en sortir : elle grimpait, en effet, sur le grand tilleul qui se trouvait devant la maison. Là-haut, nul ne pouvait la voir et, de plus, elle pouvait observer ce qui se passait en bas. Elle se sentait complètement libre sur son arbre et en

Symboles maternels : se sentir auprès de Dieu en sécurité comme dans son pays natal

même temps plus grande que les adultes restés sur le sol et qui étaient à sa recherche.

La caverne et l'arbre sont des symboles maternels, mais ils ont aussi une signification religieuse. Se mettre à l'abri dans une caverne peut aussi signifier trouver la protection de Dieu, se sentir chez soi auprès de lui, se sentir en sécurité comme dans son pays natal. Dieu protège cette femme de la menace de tous ceux qui exigent trop d'elle, qui ont des attentes exagérées, auxquelles elle doit répondre. Il la protège, car elle a peur que ces personnes se déchirent entre elles et qu'elles l'accusent ensuite d'être la cause de leurs disputes. L'image de la caverne montre quelle représentation de Dieu pourra l'aider aujourd'hui, un Dieu qui lui permettra de se laisser aller et de se détendre. Il ne s'agit pas d'un Dieu qu'il faut satisfaire, auquel il faut obéir et dont il faut constamment deviner la volonté ; non, au contraire, ce sera un Dieu auprès duquel elle se sentira libre et protégée. Ce « Dieu de la caverne » va la guérir et lui offrir un lieu où elle pourra se régénérer. L'image maternelle de la caverne est naturellement une représentation univoque de Dieu. Nous avons également besoin de l'image inverse, celle du Dieu de l'exode, celui qui nous fait sortir de la dépendance et qui fait de nous des êtres responsables. Cependant, elle a besoin, pour le moment, du Dieu maternel, pour cesser de vouloir se surpasser et pour se laisser tomber dans ses bras aimants.

En tant qu'accompagnateur spirituel, j'entends de nombreuses personnes me dire qu'elles subissent, comme cette femme, la loi de la performance. Même leur vie spirituelle devient une performance. Elles font des efforts pour se prouver à elles-mêmes et montrer à Dieu qu'elles sont capables de donner le meilleur d'elles-mêmes.

Elles voudraient consacrer, chaque jour, un temps à la méditation, à égrener leur chapelet ou à faire un examen de conscience. Elles ne s'estiment satisfaites que si elles y parviennent, mais, au bout du compte, elles n'en sont pas heureuses pour autant. Au contraire, elles courent après le temps pour mener à bien leur programme, sans y parvenir. La prière est, dans son essence, une régression et c'est une régression légitime. Je me retire du monde de la performance, du monde des conflits, pour pouvoir trouver la paix auprès de Dieu. Ce n'est que lorsque je retrouve le calme de la caverne, dans la prière, que je peux me tenir à nouveau sur la montagne, là où le vent souffle sur mon visage et où Dieu m'indique où et quand il a besoin de moi aujourd'hui (voir 1 Rois 19, 9 s.).

L'arbre sur lequel cette femme aimait grimper quand elle était petite symbolise la liberté que Dieu nous accorde. Quand je suis dans la main de Dieu, je suis libéré du pouvoir que les autres peuvent exercer sur moi. Je ne suis plus exposé à la tyrannie de leurs attentes, j'ai pris de la distance et elles ne m'apparaissent plus aussi gigantesques et dangereuses ; je peux les relativiser. L'expérience de Dieu est dans son essence une expérience de liberté. Cette femme a besoin de sentir que Dieu la libère de la pression exercée par les autres, qu'il la place sur un pic rocheux, comme le dit le psalmiste. Grâce à ce souvenir d'enfance, elle a pu comprendre certains passages de la

Bible d'une manière nouvelle. Elle a découvert dans la Bible le Dieu qui la libère. Découverte qui fut pour elle salutaire. Cela lui a donné la possibilité de se défaire, enfin, de la puissance destructrice des expériences malheureuses faites dans l'enfance.

Quand cette femme eut réfléchi aux deux moyens qu'elle avait trouvés, autrefois, pour se protéger, elle retrouva son élan vital. Ses plaintes, liées à sa fatigue chronique, se transformèrent en une profonde joie intérieure, que l'on peut lire à nouveau sur son visage. J'ai bien senti que jaillissait, en elle, la source de la joie de vivre. À présent, elle ne craint plus les difficultés de la thérapie et de l'accompagnement spirituel, afin de comprendre et d'accepter les difficultés vécues dans l'enfance. Elle a, en effet, découvert un chemin sur lequel elle a retrouvé sa vitalité, sa joie de vivre et sa joie d'être elle-même. Et ces traces laissées en elle par les moments de plénitude, elle les a retrouvées elle-même. En suivant cette voie, elle peut se sentir guérie et réconciliée avec elle-même.

Exprimer notre joie par le chant

Les personnes en quête d'écoute, quand je les ai interrogées sur les traces de plénitude qu'elles pouvaient décrypter en elles, ont souvent évoqué l'image de l'arbre sur lequel l'enfant aime grimper et le symbole de la caverne où il se retranche du monde. Ce sont deux types de refuge qui reviennent souvent parce qu'ils nous apportent apparemment le réconfort attendu. Je peux aussi vous donner l'exemple d'une autre femme : elle raconte qu'elle se sauvait en boudant chaque fois que son père avait trop bu et qu'il s'énervait contre sa femme et ses enfants. Elle s'asseyait alors sur le fauteuil à bascule que son grand-père, menuisier, avait fait. Ce fauteuil ressemblait à un grand cygne sur lequel elle trônait, se sentant plus grande que les autres. Ainsi, naissait en elle le sentiment de sa propre valeur et de sa propre force. Puis elle commençait à chanter. Sa bouderie lui permettait de prendre du recul par rapport à son père, dont les cris et les coups l'humiliaient. Elle se délivrait ainsi de son influence destructrice. Mais elle ne restait pas passive en boudant dans son coin, cela aurait donné bien trop de pouvoir à ce père. Non, sur son fauteuil à bascule, elle reprenait contact avec sa dignité et le sentiment de sa propre valeur. Sur son trône en forme de cygne elle avait conscience du caractère inaliénable de son être. L'image du cygne a certainement joué un grand rôle, le cygne étant un animal fier. Dans l'Antiquité, en raison de sa beauté et de sa pureté, l'animal était dédié à Vénus, déesse de l'amour et de la beauté. En Inde, Brahman, le Dieu créateur, chevauche un cygne. Par l'intermédiaire du cygne, l'enfant se reliait à l'amour, à la joie, à la force, à la beauté, à la dignité divine, ce qu'aucun humain ne pouvait lui dérober, pas même son père par ses cris et ses coups.

Assise sur le cygne, la fillette commençait à chanter, le chant la reliait aux sentiments positifs qui étaient en elle, à la source de la joie qui bouillonnait, enfouie sous les blessures et les souffrances. Le contact avec cette source de la joie de vivre chassait toujours plus loin la douleur causée par les vexations subies. Elle se sentait bien, en accord avec elle-même, avec le monde et avec Dieu. En même temps qu'un grand pas vers la guérison, c'était aussi un signe de vie spirituelle. Lorsqu'elle m'a raconté ce souvenir, elle traversait une grave crise spirituelle, dont elle ne voyait pas l'issue. Elle avait l'impression que Dieu avait disparu de sa vie. Tout ce qu'elle avait fait pour sa vie spirituelle lui échappait et devenait irréel. Mais, à présent, elle reprenait contact avec sa vie intérieure.

Se relier à la spiritualité vécue dans son enfance par la danse et le chant

Elle m'a raconté combien elle aimait mettre de la musique et danser toute seule. Cela émanait d'une impulsion forte. Selon son éducation, cependant, cela n'avait naturellement rien à voir avec la vie spirituelle. Pourtant, à cet instant, son visage s'éclaira. Elle comprit que la danse et le chant pouvait la relier aux manifestations de la spiritualité qu'elle avait découvertes dans son enfance. Elle n'avait pas besoin de continuer en vain la pratique spirituelle qu'elle avait commencée au monastère. En suivant son impulsion, son désir de chant et de danse, elle était un être spirituel à part entière.

Elle m'a ensuite parlé d'un autre endroit, où elle se sentait bien, en accord avec elle-même, où elle éprouvait la joie qui était l'expression de son élan vital. Elle aimait jouer avec ses amies dans la petite église du village. Elles jouaient à la poupée devant un autel consacré à Marie, habillaient et déshabillaient les poupées et les mettaient dans leur landau. Parfois, elles s'asseyaient même sur les bancs et berçaient leurs poupées. La dame qui s'occupait de la sacristie se montrait compréhensive et les laissait faire. Elle était petite et ne se posait pas de questions quant au choix de l'église pour jouer. Un enfant se laisse guider par son inconscient, il sait ce qui peut lui faire du bien et guérir les maux de l'âme. Jouer devant l'autel dédié à Marie n'était pas non plus anodin, Marie rappelle le côté maternel et la tendresse de Dieu. La mère de cette enfant était plutôt froide et distante, car elle craignait toujours que le père se fâche et que recommencent les disputes. Dans l'église, les enfants se sentaient en sécurité et ils pouvaient s'abandonner totalement à leurs jeux.

Personne ne venait les déranger, c'était un lieu protégé, un lieu mystérieux, chargé de vie et d'une forte puissance numineuse. Cet espace était de toute évidence un espace maternel, chaud et vaste, d'où était bannie la peur du père colérique.

Son éducation religieuse lui avait appris que Dieu était semblable à un père et qu'il fallait établir une relation personnelle au Christ. Cependant, cet enseignement n'avait pas réussi à forger une image de Dieu s'opposant à sa propre spiritualité. Le souvenir d'avoir joué devant Marie lui a donné le courage de percevoir et d'aimer Dieu avec son côté maternel et féminin. Ce n'était plus le Dieu exigeant, mais le Dieu qui la laissait jouer, et c'est ce Dieu-là qui lui a redonné vitalité et joie.

Le Dieu qui la laissait jouer devant Marie

La capacité de la joie à renouveler l'énergie vitale

Je vais maintenant vous parler d'un homme qui, ayant vécu dans une famille désunie, n'avait jamais appris à faire confiance. Les déchirements dans le couple de ses parents, leurs disputes continuelles avaient largement ébranlé les fondements de sa vie. Il avait l'impression que sa vie était construite sur des bases très fragiles. Grâce à mes questions, il s'est finalement souvenu de son goût pour les promenades au bord du Rhin. Il restait assis des heures au bord du fleuve à regarder l'eau et à se laisser aller à la rêverie. Quand quelqu'un me fait part d'une telle expérience, je lui demande de se souvenir exactement de ce qui s'est passé et de ce qu'il a ressenti. Il était, dans son enfance, inconsciemment attiré par l'eau. Mais, aujourd'hui, il est important de faire remonter à la conscience ces actions inconscientes et de les analyser pour qu'elles portent leurs fruits. L'eau qui coule apaise et cela aide à relativiser tout ce que nous avons vécu. Cela nous montre que tout s'écoule et passe. De la même façon, disparaissaient les reproches du père et les cris de la mère. Tout cela n'avait plus aucune prise sur lui. Assis au bord du fleuve, le jeune garçon se reliait à lui-même. Il ne dépendait plus de ses parents, ne se trouvait plus pris dans le cercle de leur agressivité et de leur insatisfaction. Il était bien avec lui-même et pouvait s'abandonner au cours de ses pensées.

L'eau qui coule est un symbole de vie et de régénération. Ce jeune garçon avait besoin de sentir la vie pour se protéger des forces destructrices générées par ses parents et pour reconstituer ses propres forces. L'eau est également un symbole numineux. Elle ne cesse de couler et pourtant le fleuve reste le même. L'éphémère et l'éternel ne font plus qu'un. Cet homme, suite à ses échecs, avait cherché de nombreuses voies de guérison, il avait aussi essayé la psychothérapie, mais il sentait bien que Dieu était important pour lui. Il n'en avait pas moins des difficultés à croire en un Dieu personnel. Une image personnalisée de Dieu lui rappelait bien trop l'expérience négative qu'il avait eue auprès de certaines personnes, comme ses parents ou des collègues de travail.

Je lui conseillai donc de choisir comme image, pour sa vie intérieure, l'eau qui coule. Il n'est pas obligé de ressentir Dieu comme une personne. Dieu est vie, flux de vie, flot d'amour. C'est alors qu'il pensa à *Siddharta*, le roman de Hermann Hesse qu'il avait adoré. Siddharta avait ressenti qu'il ne faisait qu'un avec le tout au bord d'un fleuve. Ainsi, le souvenir d'enfance de cet homme – une fois bien analysé – était devenu une clé pour sa vie spirituelle et un moyen de composer avec lui-même et avec la vie. Avant de se tourmenter et de chercher à voir en Dieu une personne, il a dû découvrir, en observant l'eau couler, un Dieu qui était la source de l'Être. Il a dû comprendre que cette source jaillissait aussi en lui et qu'elle permettait à la vie de s'épanouir. Si, à partir de cette expérience, il pressent la réalité de

Dieu est un flux de vie, un flot d'amour

Dieu, il peut aussi prendre la Bible et essayer de se plonger dans la lecture de quelques versets. Peut-être reconnaîtra-t-il alors que Dieu, comme source de l'Être, s'exprime aussi par des mots que nous pouvons comprendre, des mots d'amour qui nous sont adressés.

Trouver le temple intérieur

Je voudrais vous faire part d'une lettre qu'une femme m'a adressée, puisqu'elle m'a permis de publier son texte.

« Quand mon père se mettait dans une colère folle, je me réfugiais dans un lieu où personne ne pouvait me trouver. Toute petite, j'avais choisi de me cacher parmi les sapins. Puis, plus tard, je me suis construit des huttes avec des branchages ou avec des couvertures, une hutte au grenier, une à la cave et je m'y dissimulais. Mais je préférais me cacher à l'église derrière l'orgue. Personne n'aurait songé à me chercher là. L'église était pour moi un espace offrant sécurité et protection. Je comprends pourquoi, aujourd'hui, j'aime tant méditer et rejoindre mon temple intérieur, enveloppée dans une couverture. Là, je n'y suis pour personne, nul ne peut me trouver ni me blesser, car seul le Christ a le droit d'entrer. Grâce à cette façon de méditer, je me sens bien et j'éprouve une joie et une sécurité nouvelles.

Très tôt, je me suis imaginé que je pouvais me réfugier sous le manteau de Marie, quand j'avais peur. Comme ma mère n'a jamais exprimé de tendresse pour moi, je trouvais en Marie une personne qui pouvait me donner ce que je n'avais pas reçu. J'aimais particulièrement ce cantique : *Maria breit den Mantel aus*[1]. C'est ainsi que j'ai eu l'idée que je pouvais trouver protection et refuge sous le manteau de Marie.

Un autre rituel pouvait également m'apaiser. Nous passions souvent le week-end dans notre maison de campagne et il y avait, dans le petit bois qui entourait la maison, une petite pietà en plâtre. Dès que nous arrivions, je courais vers la statue pour la débarrasser des feuilles mortes et de la saleté qui la recouvraient. Ensuite, je déposais des fleurs devant elle. En accomplissant ces gestes, je trouvais la paix. J'ai continué à exécuter ce rituel pendant longtemps. Je me souviens bien du jour où je découvris avec douleur que la pietà gisait, brisée, sur le sol. Aujourd'hui, d'une certaine façon, ce rituel reste vivant en moi. Longtemps, je n'étais pas consciente que ce que je faisais n'était qu'un prolongement de ces gestes enfantins. Lorsque j'ai des soucis, je vais encore me recueillir devant la pietà qui se trouve dans

---

1. Cantique *Maria breit den Mantel aus* (« Marie, ouvre ton manteau ») écrit à Innsbruck en 1640 et dont la mélodie a été composée par Joseph Mohr en 1891.

notre église. Je me réfugie auprès de Marie avec la certitude qu'elle pourra m'aider. Le fait de la contempler crée en moi un espace où je me sens en sécurité et me donne la certitude qu'elle partage avec moi mes déchirements, mes désirs, mes parts d'ombre et ma recherche. »

Pour bien des lecteurs, ces souvenirs peuvent sembler être une régression, une fuite dans le monde innocent de l'enfance. Mais la prière et la méditation sont pour moi une régression tout à fait légitime, surtout si elle est liée à un fort engagement auprès des autres. La femme qui m'a confié ces souvenirs n'est pas coupée de la vie. Elle ne fuit pas les conflits, c'est dans cette expérience enfantine qu'elle trouve la force de se battre, car ce souvenir lui permet

Le refuge trouvé dans l'enfance, la source de vie toujours renouvelée et la joie intérieure

de trouver en elle un espace protégé, un temple intérieur, une source de vie toujours renouvelée et une grande joie intérieure.

Marie n'est pas pour elle une mère de remplacement, même si sa propre mère était froide et distante. Mais, en découvrant en Marie le visage maternel de Dieu, elle ne reste pas au stade de la plainte, elle transforme ce manque de tendresse en une expérience de plénitude. Ce qui l'aide aujourd'hui, c'est la recherche de cette source de

spiritualité découverte dans l'enfance et prati-
quée de manière consciente à l'âge adulte. Elle
sait pertinemment qu'elle n'obéit pas à des impul-
sions reçues de l'extérieur mais aux intuitions dic-
tées par son propre cœur et par l'enfant divin en
elle. Cet enfant-là lui indique, de façon sûre, le
chemin qu'elle doit suivre dans la vie.

Lors de mes séminaires, chaque fois que j'ai
demandé aux participants de réfléchir en silence
et de retrouver les moments où, enfants, ils se
sentaient bien, chaque fois que je leur ai demandé
quel moyen ils avaient trouvé pour se sortir
de situations tendues, ils ne manquaient pas de
réagir. Ils découvraient alors des voies nouvelles
qui leur permettaient de dépasser le ressas-
sement des blessures anciennes.

Une autre femme m'a raconté qu'elle recher-
chait aussi un refuge quand il y avait des tensions
dans la famille. Quand je lui ai demandé ce qu'elle
faisait alors, elle s'est souvenu qu'elle se balançait
des heures durant, se laissant porter par le va-et-
vient de la balançoire et par le rythme de son
propre chant. Elle ne s'est pas réfugiée dans une
coquille d'escargot, mais a trouvé un apaisement
en se laissant bercer en cadence. Elle pouvait
alors tout oublier, puisqu'elle se trouvait raccor-
dée au rythme de sa vie intérieure. Elle réagissait
de façon active à l'atmosphère oppressante qui
régnait dans la famille. Le balancement rappelle
les bras de la mère ou la promenade en landau, il

calme les bébés. Mais c'est aussi quelque chose d'actif. Elle s'est occupée d'elle-même avec bienveillance sans se laisser diriger par les autres. En outre, elle chantait sur la balançoire. Elle était trop jeune pour pouvoir mettre des mots sur ce qu'elle éprouvait. Elle restait muette quand on la grondait ou quand il y avait des conflits. Le texte de la chanson pouvait traduire sa propre peine.

Elle pouvait exprimer ses sentiments en chantant. Elle extériorisait ce qu'elle portait en elle. Lorsque cette femme m'a raconté ce souvenir d'enfance, elle était désespérée parce qu'elle ne se sentait pas évoluer. Malgré une thérapie et de nombreuses tentatives pour trouver une issue, elle avait toujours l'impression d'être à côté de sa vie. Rien ne pouvait la réjouir. Quand elle faisait du vélo, elle souffrait de solitude et n'éprouvait même pas de plaisir à traverser les forêts et les prairies. Enfant, elle avait pourtant trouvé une manière de vivre pleinement et de s'en réjouir. À l'époque, elle n'avait pas eu besoin de l'aide d'un thérapeute, elle était ellemême son propre thérapeute. Elle devait maintenant redécouvrir ce médecin intérieur, l'enfant divin en elle, son vrai moi, pour pouvoir avancer à petits pas et faire bouger les choses en elle.

Un enfant chante sur une balançoire

Découvrir sa propre spiritualité

Réussir à retrouver le lien avec sa source de vie a des effets bien plus bénéfiques que de persister à vouloir analyser les blessures du passé. Chaque fois qu'un être humain se sent vivre pleinement il accède aussi à la joie. Cette joie n'est pas forcément débordante, elle peut être l'accord avec soi-même et le bien-être éprouvés dans la quiétude. Mais cette plénitude peut aussi se traduire par une grande joie de vivre. Nous ne connaissons pas que des blessures et des manques, chacun de nous a vécu des moments de joie. Les retrouver et les revivre est à la fois une thérapie et un chemin spirituel, qui seuls peuvent nous aider à trouver notre propre lien à Dieu.

Je m'étonne toujours autant de constater que les enfants trouvent naturellement la voie qui mène à la joie et la plénitude. Ils ont certainement en eux une créativité et un bon sens qui leur indiquent ce qui est bon pour eux. L'enfant divin en eux reste intact malgré les blessures et leur indique comment réussir leur vie dans ce qu'elle a de plus personnel et de plus singulier. Par instinct, ils développent des stratégies pour échapper à des situations difficiles ou pour éviter de succomber à la puissance destructrice d'un père alcoolique ou d'une mère dépressive. Ils trouvent le lieu où ils se sentent libres, en sécurité et totalement eux-mêmes, en accord avec la vie. En ce lieu, nul ne peut les blesser ou leur dicter sa loi. Ils trouvent, dans le jeu, leur propre thérapie et un accès à leur intériorité. Dès que je me suis intéressé au thème de la joie, j'ai compris l'importance de ces voies thérapeutiques et spirituelles mises en œuvre par chacun.

Je rencontre, lors de l'accompagnement spirituel que je pratique auprès d'êtres qui souffrent, des personnes qui s'accusent de n'avoir aucune discipline, de ne pas arriver à méditer tous les matins même si elles en ont pris la résolution. Elles ont suivi des cours, lu des livres et croient qu'il ne leur reste plus qu'à mettre en pratique ce qu'elles ont lu. Mais elles prennent trop peu en compte la structure de leur âme. Quand je vois quelqu'un dépenser tant d'énergie à tenir ses engagements dans le domaine spirituel, je me dis qu'il s'impose des pratiques qui ne lui conviennent pas forcément. Il se contraint à correspondre à un système et n'écoute pas ses sentiments personnels. La résistance qu'il développe contre la pratique spirituelle montre qu'il ne vit pas en accord avec lui-même. Celui qui, au contraire, a retrouvé le lien avec les manifestations de spiritualité découvertes dans son enfance trouvera sans effort la forme de vie spirituelle qui lui convient.

Les manifestations de la joie mènent immanquablement à Dieu

Lorsque notre vie intérieure la plus originelle s'épanouit, si nous avons encore besoin d'attention et de discipline, nous n'avons plus à nous contraindre à agir à contrecœur. Ainsi, la joie conduit à une spiritualité qui s'accorde à notre personnalité, qui jaillit du plus profond de nous-mêmes et qui mène immanquablement à Dieu, comme elle nous a réinscrit dans le cours de la vie quand nous étions petits.

Un conte qui suscite la joie

J'AI CHERCHÉ DANS LES TRÉSORS de la littérature mondiale un conte qui aurait pour thème la joie, et j'en ai découvert un qui, à première vue, ne paraît pas très profond et ne semble pas appeler une interprétation psychologique extraordinaire. Pourtant, il a généré en moi une joie profonde. Ce conte néerlandais « Comment un paysan vendit sa vache à saint Antoine » m'a vraiment fait rire. Il commence ainsi :

Il était une fois un paysan très bête qui avait une femme fort intelligente. Elle commandait à la maison, achetait, vendait, répartissait les tâches de la ferme et faisait en sorte que tout fonctionne au mieux. Mais un jour, elle se blessa au pied et dut rester à la maison. Cela correspondit justement à l'époque où une vache devait être vendue, on ne put faire autrement, le paysan dut aller lui-même au marché vendre sa vache[1].

Sa femme lui avait bien dit de ne pas la céder à moins de 160 florins et de bien se garder des marchands qui parlaient trop car, de toute façon, ils n'achèteraient pas. Elle avait absolument besoin de cet argent pour le fermage. Sinon, elle aurait bien repoussé cette vente, parce qu'elle ne faisait pas confiance à son mari ; elle connaissait sa bêtise et savait qu'il ne réussirait pas à conclure cette affaire. Bien des marchands ont essayé de le convaincre, le jour du marché, mais il pensa à sa femme et ne céda la vache à personne. Il dut donc la ramener à la maison et il avait déjà peur que sa femme ne lui fasse des reproches.

Sur son chemin, il passa devant l'église d'un village, elle était justement ouverte. « Bon, eh bien, je vais entrer, pensa-t-il ; peut-être y trouverai-je un acheteur. » Ce jour-là, avait eu lieu le pèlerinage

---

1. *Die schönsten Märchen der Weltliteratur* (« Les plus beaux contes de la littérature mondiale »), Hans-Jörg Uther, Munich, 1996, p. 117.

de saint Antoine, dont la statue se trouvait dans l'église. C'est pourquoi la porte était restée ouverte. Mais il était déjà tard et il n'y avait plus personne dans l'église. Notre pauvre paysan entra avec sa vache et l'attacha à un banc de l'église. Quant à lui, il avança, car il avait aperçu quelqu'un qui ne bougeait pas et qui ne disait rien, c'était, en fait, la statue de saint Antoine.

Comme saint Antoine était représenté avec un cochon, le paysan le prit pour un marchand de porcs. Cela lui plut de voir que ce personnage était silencieux. Il n'en entama pas moins une conversation avec la statue. Il lui proposa sa vache, mais comme saint Antoine ne répondait pas, il s'énerva et lui donna un coup de bâton.

À ce moment-là, un sac d'argent atterrit à ses pieds. « C'est parfait, dit-il, je savais bien que tu achèterais ma vache. Si seulement tu avais ouvert la bouche, je ne t'aurais pas frappé. » Satisfait, il prit l'argent et rentra chez lui.

Arrivé à la maison, il lança le sac à sa femme se réjouissant déjà de ne pas être traité d'idiot. Sa femme fut étonnée de voir tant d'argent. Son mari, Hannes, lui raconta seulement qu'il avait vendu la vache à un marchand de porcs, qui lui avait lancé la bourse pleine de pièces sans même essayer de marchander.

Quand Hannes eut quitté l'église, le sacristain arriva pour fermer la porte et vit la vache attachée. Mais il vit aussi que toutes ses économies, cachées derrière la statue, avaient disparu. Il alla chercher le prêtre et lui raconta sa mésaventure. Il avait déposé cet argent à cet endroit pour éviter que sa femme ne le gaspille. Le prêtre lui conseilla de prendre la vache et d'expliquer à sa femme qu'il lui en faisait cadeau.

Le sacristain rentra chez lui avec la vache et sa femme fut fort surprise d'un tel cadeau, d'autant que le prêtre était d'habitude plutôt économe et qu'il ne pouvait lui-même puiser dans les réserves. Mais le sacristain lui ôta ses derniers doutes en lui disant qu'elle pouvait questionner directement le prêtre. La vache fut mise à l'étable et la femme était heureuse de s'en occuper. Ce travail lui plut de plus en plus et, au lieu d'aller bavarder chez les voisines, elle s'occupait de la vache. Celle-ci donnait beaucoup de lait, car c'était une bonne bête. La femme, qui était dépensière, devint économe car elle comprit combien il était difficile de gagner de l'argent. Ainsi, ils purent mettre de l'argent de côté et même acheter une deuxième vache. Plus tard, ils achetèrent de la terre et aujourd'hui, le sacristain est un homme aisé, qui possède des animaux et des terres.

Tout alla bien chez Hannes également, puisque sa femme obtint finalement plus d'argent que prévu. Depuis elle n'osa plus lui dire qu'il était bête, pourtant il n'était pas plus malin qu'avant.

Morale de l'histoire : la vente de la vache à saint Antoine avait rendu deux familles heureuses[1].

Ma première impression à la lecture de ce conte fut de me dire que Dieu avait de l'humour. La balourdise de notre paysan devient une bénédiction pour lui et la victime tire finalement profit de la situation, puisqu'elle tourne aussi à son avantage.

Ni l'intelligence ni la piété n'ont aidé le paysan, il ne savait rien sur le saint puisqu'il l'a pris pour un marchand de porcs. En fait, il est représenté avec un porc, pour symboliser que tout ce qui est impur en lui a été transformé. Malgré tout, un miracle se produisit. Sa femme a maintenant une tout autre opinion de lui. Le couple a pu vivre dans l'aisance et leur relation a complètement changé. Le sacristain n'était pas non plus un modèle de vertu. Il cachait l'argent pour empêcher sa femme de le dépenser. Mais l'échange supposé de toutes ses économies contre une vache lui a tout de même apporté la bénédiction. Par ce cadeau, sa femme apprend à travailler et à éprouver de la joie en

Dieu a de l'humour

---

1. *Ibid.*, p. 121.

travaillant, et la vie de ce couple en est toute changée. Tout semble n'être que le fruit du hasard et non signe de vertu et preuve de réflexion. Pourtant, les deux familles connaissent le miracle de la métamorphose. Les relations de couple changent, le mari et la femme travaillent désormais ensemble sans s'adresser des reproches en permanence. Ils ne se cachent plus rien et la joie et la paix ont remplacé le conflit et la méfiance.

La joie comme cadeau inattendu

La question est maintenant de savoir pourquoi ce conte nous interpelle et de nous demander ce qu'il déclenche en nous. De toute évidence, il éveille en nous l'espoir que notre vie peut être transformée et que parfois tout s'arrange. Ce conte nous amuse, mais il nous montre aussi que Dieu peut mettre de l'ordre dans le chaos de notre vie, et cela de façon inattendue et surprenante. Il peut à nouveau faire régner l'harmonie à la place de la discorde et transformer le poids des souffrances et des tourments en joie et en gaieté. Ce conte m'a rappelé certaines expériences rapportées par les personnes que j'accompagne. Celles-ci avaient l'impression que rien ne leur réussissait. Puis, tout à coup, comme par le plus grand des hasards, tout avait changé. Leur vie avait à nouveau un sens, elles n'étaient plus méprisées, elles connaissaient le succès. Elles étaient de meilleure humeur, adieu la dépression ! Elles pouvaient à nouveau jouir de la vie. Parfois, ces mêmes personnes s'excusent, se justifient, car elles ont l'impression de ne pas mériter ce qui leur arrive, puisque cela n'est dû qu'au hasard.

J'ai l'exemple d'une étudiante qui s'était mise dans une situation délicate à force de mensonges, elle avait même perdu nombre de ses amis. Elle fit la connaissance d'un jeune homme et tout rentra dans l'ordre. Dieu n'est pas celui qui punit chaque mauvaise action, il peut aussi remettre sur la bonne voie et il choisit souvent, pour ce faire, des moyens non dépourvus d'humour. Il peut, comme le dit le proverbe, écrire droit avec des lignes courbes. La joie ne correspond donc pas toujours à une vie extrêmement vertueuse, on ne la mérite pas forcément, elle est plutôt, bien souvent, un cadeau inattendu. On constate que tout s'arrange parfois au mieux, sans que l'on fasse beaucoup d'efforts pour cela. On peut alors à nouveau être heureux de vivre. Il existe des couples qui, pendant des années, se sont rendu la vie difficile et qui vivent désormais dans l'harmonie : dans certains cas, ils y sont pour quelque chose, dans d'autres, cela semble être l'effet du hasard. Une femme, par exemple, craignait que son nouvel appartement soit mal insonorisé. Cela a suffi pour qu'elle se montre plus attentionnée envers son mari et ses enfants. Un homme a pu changer de comportement simplement en voyant un film, peut-être était-ce même un mauvais film ! Ainsi, des hasards, ou pourquoi pas une attitude maladroite, peuvent, comme pour le paysan Hannes, nous faire connaître le miracle de la joie.

L'art de se réjouir

Voici un conte de Grimm qui a pour thème la joie. Il s'agit de *Jean le chanceux*. Jean, qui a servi son maître pendant sept ans, obtient un lingot d'or. Il se met en route, aperçoit un cavalier et lui dit :

> « Ah ! cher cavalier, comme j'envie votre sort. Vous allez à cheval et moi à pied. Je ne suis jamais monté à cheval. Quelle belle chose que d'aller à cheval. » « Oui, cher ami, répondit le cavalier, si tu veux, nous changerons ! Je te donnerai mon cheval et tu me donneras ton lingot. » « De tout mon cœur », répliqua Jean. Il sauta et frappa dans ses mains et il s'en fallut de peu pour qu'il se pende au cou du cavalier comme du cheval. Les deux compères se séparèrent heureux.

Puis il échange le cheval contre une vache et la vache contre un cochon et le cochon contre une oie. Et chaque fois, Jean est au comble de la joie parce qu'il a fait une bonne affaire. Enfin, il échange l'oie contre des pierres à aiguiser que lui donne un rémouleur. Il continue sa route, mais il a soif. Il pose les pierres au bord de la rivière et elles tombent au fond de l'eau.

Et notre Jean, que fit-il ? En les voyant disparaître sous ses yeux, il sauta de joie et, les larmes aux yeux, il remercia Dieu qui lui avait fait la grâce de le décharger de ce fardeau.

« Il n'y a pas sous le soleil, s'écria-t-il, un homme plus chanceux que moi ! » Et délivré de tout fardeau, le cœur léger, il continua son chemin jusqu'à la maison de sa mère.

Notre Jean, apparemment un peu bête, est pourtant l'homme le plus heureux du monde. Il trouve toujours une raison de se réjouir. Le conte ne manque pas d'ironie. Il éveille chez le lecteur la pitié ou une joie maligne, quand il voit, à la fin de l'histoire, que Jean perd tout. Mais il y a un autre niveau de compréhension. Le titre *Jean le chanceux* correspond pourtant bien au héros de ce conte. Pourquoi Jean ne serait-il pas, en fait, celui qui sait jouir de la vie ? L'or ne fait pas le bonheur. Naturellement, l'or symbolise la richesse et les biens. Celui qui possède est vite possédé, accaparé par le souci de ses biens. Jean échange l'or contre un cheval, image de la force, de l'assurance et du succès. Même tout cela ne peut, à la longue, rendre l'homme heureux. Un jour ou l'autre, on perd le goût de la joie. La vache est l'image de la fertilité. Lorsque notre vie porte des fruits, nous en éprouvons de la joie. Mais les fruits finissent par s'abîmer. Le porc représente le plaisir immédiat, l'oie le plaisir plus raffiné.

Tout deux mènent à la joie. Mais il est impossible d'être tout le temps dans le plaisir, de même que nous ne pouvons pas toujours avoir envie de manger. À la fin de l'histoire, Jean échange l'oie contre les pierres à aiguiser du rémouleur. Elles figurent le travail porteur de sens, le travail qui apporte de la satisfaction et de l'argent. Le travail est, certes, source de joie. Mais je ne peux pas vivre que de travail et de succès. Il semble paradoxal que Jean se sente très heureux au moment où il a tout perdu.

Pourquoi Jean ne serait-il pas, en fait, celui qui sait jouir de la vie ?

Qu'est-ce qui cause sa joie ? Il est complètement libre. Rien ne lui pèse. Il vit dans l'instant. Derrière un comportement apparemment balourd se cache une leçon pleine d'humour, qui va conduire le lecteur à trouver le véritable bonheur et la joie durable. Ne peut se réjouir vraiment que celui qui se réjouit de lui-même, qui se réjouit de l'instant, de sa liberté, de sa vie, d'une gorgée d'eau, d'un bol d'air frais et qui rentre tout heureux chez lui. À la fin du conte, la maison maternelle figure aussi la maison éternelle. Sur notre chemin vers notre demeure définitive, qui se trouve en Dieu, nous ne pourrons rien emporter. Lorsque nous empruntons ce chemin, libres et légers, nous pouvons affirmer avoir trouvé la source de la joie vraie et durable.

Peut-on apprendre la joie ?

L A PHILOSOPHIE COMME LA PSYCHOLOGIE nous montrent combien la joie est désirable, combien
elle est bonne pour l'homme, puisque,
selon Pascal, il est né pour connaître la joie. Mais
peut-on apprendre la joie ou doit-on se résigner
si l'on est plutôt de nature dépressive ? Est-ce que
nos émotions peuvent changer, ou bien sommes-
nous soumis à leur influence ? Sont-elles condi-
tionnées par ce que nous avons vécu dans
l'enfance ? Peut-on, au contraire, faire en sorte
que des émotions négatives ou des blocages se
métamorphosent en expériences lumineuses ? Il
serait trop simple d'employer l'argument suivant :
il existe tellement d'occasion de se réjouir ! Il n'y
a qu'à contempler la beauté de la nature ! Ce genre

de raisonnement ne peut aider une personne en pleine dépression. Que faire quand je suis en colère, quand j'ai peur, quand je suis rongé par la jalousie ? Comment me réjouir encore, lorsqu'un ami très cher vient de mourir dans un accident ? Comment retrouver un peu de joie, quand ma vie de couple s'effrite et que je perds pied ? Dans ces moments-là, les belles idées sur la joie ne me seront d'aucune aide. Mais suis-je, pour autant, livré sans espoir aux émotions négatives ? Existe-t-il un moyen de les transformer ?

Permettre à tous les sentiments de s'exprimer

« On ne peut pas interdire aux sentiments de s'exprimer, sinon, ils redoublent d'intensité ! Ils sont là et ne demandent aucune autorisation[1]. » Cela est valable pour les sentiments forts comme la colère, la peur, la tristesse, la jalousie ou l'envie. Si je les réprime et les prends de front, ils développent une force contraire que je ne pourrai maîtriser. Je ne peux pas, non plus, les remplacer tout simplement par de la joie. Je ne peux pas me dire : Je ne veux pas être en colère, je veux

---

1. Bernhard Sieland, « Émotion», dans : *Handbuch der Psychologie für die Seelsorge*, [Manuel de psychologie pour la pastorale] édité par Jürgen Biattner, Düsseldorf, 1992, p. 124.

me réjouir. Il vaut bien mieux considérer ces sentiments, leur laisser libre cours, entamer un dialogue avec eux et leur demander leur raison d'être : « Que veux-tu me dire ? Sur quoi veux-tu attirer mon attention ? Quelle appréciation portes-tu sur ce que j'ai vécu ? » Je trouverai peut-être au fond de ma colère le désir d'être compris, le désir d'être bien et de connaître la joie. Je reconnaîtrai peut-être dans mes émotions une certaine façon d'apprécier la réalité. La question est ensuite de savoir si cette appréciation est la seule possible ou si je peux voir les choses autrement. Je ne m'interdirai pas la colère ni même le courroux, mais je ne les recevrai pas dans la passivité. Ces émotions ne pourront se transformer que si je ne suis plus sous leur coupe.

Les Pères de l'Église voyaient dans l'exhortation biblique à la joie un moyen de transformer les sentiments et de voir la réalité avec un regard neuf, avec les yeux de la foi, qui voient plus loin que les événements immédiats et qui reconnaissent Dieu derrière la réalité la plus évidente. Celui qui regarde le monde avec ce regard de la foi rencontre, *Regarder le monde avec les yeux de la foi* certes, Dieu mais aussi la joie, et elle inondera son cœur. Il découvrira, sous ses émotions négatives, la joie ou au moins son désir de connaître la joie.

Un prêtre m'a un jour raconté que, lors de sa promenade du soir, il parcourait les rues de sa paroisse, le cœur lourd. Il ne remarque même plus la beauté du paysage. Il ne fait que ressasser les problèmes rencontrés pendant sa journée : les malentendus, les conflits. Dans ces moments-là, il se souvient qu'il a appris, au cours de l'accompagnement spirituel, à être attentif à l'instant. Il se redresse et regarde autour de lui. Il prend conscience de la beauté des montagnes qui l'entourent, du lac au bord duquel il marche. Il écoute les oiseaux et le murmure de la forêt. Il épie le silence de la nuit et la joie émerge à nouveau en lui. Il comprend qu'il est lui-même responsable de ses sentiments. Il peut décider de diriger son regard soit sur les événements négatifs de la journée soit sur la beauté de la nature qui l'entoure. Cela ne signifie pas qu'il se cache la réalité des conflits, mais qu'il prend, au contraire, le recul nécessaire par rapport aux problèmes du quotidien. Il peut ainsi, malgré ses ruminations, reprendre contact avec la joie cachée au fond de son cœur. Cette méthode, Henry Nouwen nous la recommande aussi, quand il écrit : « On ne construit pas les cloîtres pour résoudre des problèmes mais pour louer Dieu, alors que nous sommes plongés dans les problèmes. » Dans la louange, je me relie à la joie qui est en moi. Je n'occulte pas les problèmes mais je cesse d'en faire une obsession. Je peux tout à fait, malgré les problèmes, tourner mon regard vers Dieu, qui me porte. Alors, mon humeur change et je m'ouvre à la joie qui ne demande qu'à m'inonder.

La joie pousse à agir

Les émotions « nous poussent à faire comme à ne pas faire, à rester plus longtemps sur un sujet, à l'interrompre plus vite, à répéter ce qui, dans le passé, provoquait en nous des sentiments positifs. Ce sont nos maîtres de vie. Nous ne sommes pas seulement guidés par le savoir, mais essentiellement par les sentiments[1] ». La colère, le courroux, la jalousie, l'envie, la tristesse et la peur nous dictent certains comportements qui, parfois, peuvent blesser, détruire la vie en communauté, entraver la vie. La joie est une émotion qui sert la vie, qui éveille la vie dans le cœur des hommes, qui nous pousse à aller vers les autres. Elle nous rend plus vivants, nous gonfle d'énergie, nous donne envie d'aller travailler. La question est de savoir comment parvenir à cette émotion car nous ne pouvons pas la commander. Mais nous pouvons créer les conditions dans lesquelles peut naître la joie.

Dans quelles conditions puis-je me réjouir ? J'éprouve de la joie lorsque j'atteins un but et que

1. *Ibid.*, p. 134.

je travaille à l'atteindre. Pourtant, la joie ne dépend pas toujours de nos actes. Elle peut nous submerger quand un ami nous appelle au téléphone, quand un autre nous fait des compliments, quand nous réussissons ce que nous entreprenons ou quand on nous dit un mot d'amour. Mais, dans ces cas-là, la cause de la joie est toute extérieure. Le coup de fil d'un ami ne dépend pas forcément de nous, mais nous réjouir de cet appel oui. Lorsqu'il évoque Zachée, Luc écrit : « Et il se hâta de descendre et le reçut avec joie » (Luc 19, 6). Zachée ne pouvait pas influencer l'attitude de Jésus, il ne pouvait pas savoir qu'il le regarderait, qu'il s'adresserait à lui, qu'il se montrerait affable et libre de tout préjugé à son égard. En revanche, il ne tenait qu'à lui de le recevoir avec joie. Il aurait pu continuer à geindre, à se plaindre de la vanité de toute chose ; il était, en effet, rejeté par les autres. Il aurait pu penser que tout cela n'était que vile manipulation de la part de Jésus pour le « récupérer ». Certaines personnes sont, quoi qu'on fasse, incapables de se réjouir. Elles ont des exigences démesurées. Par conséquent, elles ne pourront jamais recevoir quelqu'un avec joie. Elles ont toujours quelque chose à redire, nourrissent des doutes en toute circonstance. Zachée a vite abandonné sa démesure et sa cupidité. Pour éprouver de la joie, il nous faut, nous aussi, abandonner notre poste d'observation d'où nous jugeons tout avec une distance qui nous protège et nous évite de plonger directement dans la vie.

Nous devons descendre là où bat le cœur de la vie, là où se tient l'être humain et où il nous fait le précieux cadeau de sa générosité. Nous devons prendre joyeusement par la main et embrasser celui qui nous regarde avec tant d'amour. C'est parce que Zachée s'abandonne à l'instant et qu'il accueille celui qui l'accepte que la joie fait irruption en lui. Il laisse advenir et s'abandonne à ce qui advient. Ce sont les conditions favorables à l'émergence de la joie.

> *Descendre de notre poste d'observation et entrer dans le rythme de la vie*

Nous sommes responsables de notre façon de voir la vie

Pour savoir si nous pouvons apprendre la joie, nous devons tout d'abord nous demander comment opérer la métamorphose de nos émotions. Les émotions sont, la plupart du temps, des réactions spontanées qui ne peuvent que difficilement être maîtrisées. Mais, comme nous réagissons à des événements bien précis de manière émotionnelle, nous pouvons au moins prendre une part active au choix de ces événements. Nous pouvons très bien nous rendre la vie difficile en ne voyant que les côtés négatifs de la vie, en fixant notre attention sur les scandales de ce monde, en nous plongeant dans des situations conflictuelles qui ne nous concernent même pas. Il ne tient qu'à nous de chercher de manière consciente des activités agréables, par exemple prendre le temps d'une promenade, choisir un lieu de vacances qui nous plaît, aménager notre appartement de manière confortable, ce qui déclenchera en nous des sentiments positifs. Nous ne pouvons naturellement pas avoir une influence sur tous les événements. Mais nous devrions nous demander si nous n'avons pas tendance à nous mettre dans des situations difficiles. Certaines personnes recherchent inconsciemment à revivre les blessures de leur enfance. Elles ont l'impression que la vie est difficile, que les êtres humains sont brutaux et qu'ils ne cherchent qu'à faire du mal. Pourtant, elles choisissent elles-mêmes de ne voir que ce côté de la vie. Le proverbe dit bien que « chacun est l'artisan de son propre malheur ». Si ce dicton est exact, il ne l'est pourtant que jusqu'à un certain point. Nous sommes bien souvent responsables du choix que nous faisons de nous trouver dans telle ou telle situation.

Veiller à
se sentir bien

Un homme m'a un jour raconté combien il s'était senti bien dans notre abbaye et que les effets de ce séjour s'étaient fait sentir un certain temps. Aujourd'hui, il est à nouveau la proie de ses vieux démons. Il souffre parce qu'il laisse son imagination vagabonder et se complaire dans la négativité. Je lui ai dit que, désormais, il devait faire en sorte de se sentir bien dans son environnement familier. Il a réfléchi brièvement et a eu de multiples idées pour changer les choses. Il a envie de lire les grands classiques de la littérature mondiale, il aime écouter de la musique, car cela lui permet de se laisser aller et de s'oublier. C'est donc à lui de choisir les livres qui l'intéressent, de prendre le temps de les lire de manière systématique. Cela mettra de l'ordre dans son chaos intérieur et lui apportera une grande joie. Il est seul responsable de sa façon de voir la vie. Il est en son pouvoir de trouver une manière de vivre qui lui apportera de la joie au lieu de continuer à végéter dans un chaos qui le tire vers le bas et le déprime.

Du droit à se sentir mal, parfois

Toutefois, il arrive que notre chemin soit semé d'embûches. Nous pouvons être – que nous le voulions ou non – confrontés à la mort d'un proche, nous pouvons tomber malades ou connaître des situations difficiles au travail ou dans notre vie de famille si, par exemple, un enfant choisit une voie

différente de celle que nous avions imaginée.
Nous nous faisons du souci pour un fils qui se
drogue ou pour une fille qui se laisse exploiter par
son petit ami. Dans ce cas, notre réaction doit-elle
être la joie, comme le recommande Jean Chrysostome ? Ce serait beaucoup demander. Les sentiments de douleur, de tristesse, de colère font tout
autant partie de notre vie que la joie. Il est vain
de vouloir à tout prix exiger de soi d'être joyeux
quoi qu'il arrive. En nous, des sentiments négatifs
coexistent avec des sentiments élevés, laissons-
les s'exprimer sans les juger. Celui qui donne libre
cours à sa souffrance est également capable
d'éprouver des joies profondes. Celui qui, au
contraire, réprime les sentiments négatifs, parce
qu'ils lui sont désagréables, ne sera pas capable
d'exprimer vraiment des sentiments positifs. On
observe souvent chez les enfants qui ont dû répri-
mer leur douleur ou leur colère une certaine
insensibilité. Devenus adultes, ils ne savent plus
se réjouir, ils ne savent même plus pleurer. Ils sentent, pourtant, que se laisser aller aux pleurs les
rendrait capables de s'abandonner à la vraie joie.

Parfois, nous nous sentons tristes sans raison
apparente. Nous ne comprenons pas d'où vient
notre mauvaise humeur et ne voyons pas ce qui
nous tire vers le bas. Dans ce cas là, il est inutile
de nous reprocher d'être malheureux sans raison,
de nous dire que d'autres sont bien plus à
plaindre que nous et que nous, en bons chrétiens,

devrions être heureux. De tels reproches ne peuvent qu'éveiller en nous un sentiment de culpabilité. Nous partons du principe que nous n'avons pas le droit d'être mal et que, si cela arrive, nous en sommes responsables. Cette prémisse est totalement fausse. La pensée positive, qui nous suggère de ne voir que le bon côté des choses, peut, à la longue, exercer sur nous une forte pression qui nous contraint à écarter tout ce qui est négatif. Hazleton, dans son livre *Du droit à se sentir mal*, va à contre-courant de l'idée reçue qui voudrait que l'on voie toujours le côté positif des choses. Nous avons donc le droit d'être insatisfaits, cela fait partie de notre vie. Nous devons nous permettre d'éprouver tous les sentiments, ils ont tous une raison d'être. Mais je ne vais pas pour autant me laisser diriger par eux. Il me faut me demander ce que je ressens vraiment, m'adresser à ces sentiments et chercher leur cause. Pour cela, il va me falloir être attentif à mon corps. Où est localisé ce sentiment ? Qu'est-ce qui l'accompagne ? Je dois entrer en contact avec lui, plonger en lui, le suivre jusqu'au bout, c'est alors qu'il pourra se transformer ou me donner à comprendre pourquoi il est là. Peut-être suis-je fatigué ou déprimé parce que j'ai trop longtemps réprimé ma colère, que je n'ai pas su dire non et que je me suis laissé convaincre par de longues discussions dont je savais pourtant qu'elles ne mèneraient à rien. De tels sentiments sont importants, car ils me poussent à changer mon comportement. Les émotions m'incitent à trouver une façon d'agir nouvelle, une attitude qui me corresponde et qui soit l'expression d'un accord avec moi-même.

Reconsidérer les événements

Nos émotions nous poussent à porter un jugement sur les événements. Pour pouvoir changer nos émotions, nous devons nous demander si notre appréhension de la réalité est exacte. « Nous ne réagissons pas [...] aux choses telles qu'elles sont, mais à l'image que nous nous faisons d'elles et à la façon que nous avons de les juger[1]. » Je me mets, par exemple, en colère contre un collègue que je trouve trop lent, ou auquel je reproche d'avoir oublié quelque chose. La colère est une impulsion qui nous pousse à parler aux autres pour changer leur comportement. Après cela, elle a accompli sa fonction et elle cesse. Si je continue à m'énerver contre ce collègue, je peux réfléchir à d'autres stratégies qui pourraient éventuellement changer sa façon d'être ou permettre, dans le service, un fonctionnement sans heurts. Mais je peux aussi me demander si, par hasard, je ne

---

1. *Ibid.*, p. 134.

me fais pas une fausse idée de lui. Peut-être ne peut-il pas faire autrement, parce qu'il est, en ce moment trop préoccupé. Pourquoi ne pas me demander également si ma colère est vraiment utile ? Est-ce vraiment si grave qu'il soit un peu lent ou étourdi ? Après tout, c'est son problème et je n'ai pas à le résoudre. Quand je me réveille le matin et que je suis de mauvaise humeur à cause de la pluie, je dois me dire que c'est tout à fait inutile. Qu'il pleuve ou que le soleil brille, je serai enfermé au bureau et, en outre, je pourrai peut-être travailler plus efficacement s'il ne fait pas trop chaud. Si, évidemment, j'ai prévu une sortie, la pluie sera une entrave, mais je peux aussi très bien m'adapter. Marcher dans la forêt sous la pluie a aussi son charme.

Naturellement si j'ai l'intention de faire une excursion en montagne, ce sera plus gênant. La question est, malgré tout, de savoir quelle place je donne à la colère, si ma joie ne dépend que *Se montrer créatif et s'adapter aux circonstances* du temps qu'il fait ou si je sais me montrer créatif et m'adapter aux circonstances. Si je laisse libre cours à mon imagination, cette sortie sous la pluie pourra devenir un souvenir joyeux et amusant. Ma façon de prendre les choses ne dépend que de moi.

Qohèlèt a raison d'affirmer : « Il y a un moment pour tout et un temps pour toute chose sous le ciel [...]. Un temps pour pleurer et un temps pour rire ; un temps pour gémir et un temps pour danser » (Qo 3, 1-4). Il ne s'agit donc pas d'exercer une pression sur nous-mêmes et de croire qu'il faut toujours rayonner de joie. Mais nous devrions observer à quels moments nous nous tirons vers le bas, nous nous complaisons dans un état dépressif. Nous devrions être attentifs aux instants où nous tournons en rond, où nous ne nous intéressons qu'à nous-mêmes et où nous ne laissons donc aucune place à la joie.

J'ai constaté, ces derniers temps, que les personnes pratiquantes et même les religieux ont tendance à ressasser leurs propres problèmes. Elles ne cessent de se plaindre de ce qui est négatif dans leur communauté : une mère supérieure impossible, des sœurs agressives. Par ce comportement, on se prive de l'énergie et de la joie de vivre, si nécessaires, pour ne laisser place qu'aux plaintes. Il arrive aussi que les religieux considèrent leur situation difficile comme une façon de partager la souffrance du Christ. Pourtant, cela ne les conduit pas à plus de vie, mais les met dans un état dépressif qui absorbe toute leur énergie. Plus aucune vie n'émane d'eux. Ils ont perdu toute capacité imaginative et créatrice quand ils entreprennent une tâche ou quand ils répandent la Bonne Nouvelle dans le monde. La joie est toujours liée à la vie, au mouvement, au flux, à la relation. En ne se délestant pas de soi, on ne remarque même pas combien on est devenu narcissique et égocentrique. On se croit pieux, en réalité on confond piété et nombrilisme.

À mon sens, la joie est totalement liée à la spiritualité, mais pas dans le sens où nous, chrétiens, aurions à nous réjouir quoiqu'il arrive parce que nous sommes sauvés. Ce genre d'idéaux ne nous sont pas d'une grande aide. Le thème de la joie doit me confronter à un questionnement : Vais-je continuer à tourner autour de mon nombril ? Est-ce que je laisse aux autres le pouvoir de me détourner de la vie ? Ou bien suis-je libre d'affronter la vie, d'entrer en relation avec les personnes qui m'entourent et de me soucier d'elles ? Il est tout de même étonnant de voir que des personnes croyantes, dont la « carte de visite » est l'amour du prochain, ne sont pas capables de s'intéresser aux autres parce qu'elles ont tendance à être centrées sur elles-mêmes. Elles se sentent seules et ploient sous le poids de leurs soucis. Elles souffrent avec le Christ ou se plaignent de ne pas pouvoir aussi bien ressentir la présence de Dieu qu'autrefois. Tout tourne autour d'elles et elles ne font attention ni à la beauté du monde ni aux souffrances de ceux qui ont besoin de réconfort.

Quand la joie est le signe d'une spiritualité véritable, elle ne se manifeste ni par des éclats de rire tonitruants ni par la capacité à distraire tout un groupe d'amis. Elle se révèle bien plutôt par la sérénité, par une imagination débordante et par la créativité. Celui qui est dans la joie n'est pas obsédé par lui-même. Il n'est pas sans cesse à l'écoute de ses propres sentiments ; au contraire il est dans la vie, il la laisse affluer et la joie le pousse à agir. Aux actions qui naissent de la joie ne vient pas s'ajouter le sentiment du devoir accompli. Elles ne sont pas accompagnées de plaintes sur les difficultés à aimer son prochain ou sur les problèmes rencontrés dans le monde du travail. Elles jaillissent tout simplement de nous et nous avons alors envie d'entreprendre quelque chose, de prendre quelqu'un par la main. C'est cette façon d'agir que préconise le Christ quand il dit : « Pour toi, fais-tu l'aumône, que ta main gauche ignore ce que fait ta main droite » (Mt 6, 3). Si le soutien que j'apporte à quelqu'un prend sa source dans la joie, je ne réfléchis pas pour savoir si je dois obéir au commandement de l'amour du prochain. Je ne tiendrai des comptes ni devant moi-même ni devant Dieu. Je ne le clamerai pas non plus sur tous les toits, parce qu'il n'y a aucune raison d'en parler, cela va de soi.

Il émane quelque chose de salutaire et de libérateur de ceux qui sont dans la joie

Il émane quelque chose de salutaire et de libérateur de ceux qui sont dans la joie. Ceux qui ont besoin d'une aide la recevront sans se sentir obligés de se montrer éternellement reconnaissants. Les actes nés de la joie ont un goût de légèreté, de plaisir et de liberté, ils sont un cadeau, une grâce. Ils font du bien. Ils ne donnent pas mauvaise conscience, ils n'enferment pas dans un questionnement incessant sur la façon de rendre la pareille. Ils font plaisir, tout simplement parce qu'ils prennent leur source dans la joie.

La troisième voie menant à la joie

Pour apprendre la joie, il nous faut, d'une part, influencer les événements qui déclenchent la joie et, d'autre part, changer l'appréciation que nous avons d'eux. Mais il y a une troisième voie qui m'apparaît encore plus importante : c'est la voie spirituelle. Plus ma relation à Dieu est profonde, plus je pénètre dans l'espace intérieur du silence, habité par Dieu et plus je prends part à la joie, que personne ne pourra me dérober. Certes, la vie spirituelle n'est pas que joie, elle inclut aussi la traversée du désert et de la nuit. Mais cet espace intérieur, où me conduit la prière, est pour moi le lieu de la joie profonde, même si je ne la ressens pas toujours. En effet, elle est parfois cachée sous la colère éprouvée lors de conflits inutiles ou sous la déception ressentie à cause de nos propres insuffisances. Alors, quand je médite et que je rejoins ce lieu du silence intérieur, je n'en fais pas seulement un havre d'amour, de sécurité et de chaleur, mais aussi un espace de joie et de liberté. La joie ne vient jamais seule, elle est sœur de l'amour. Pour Paul, elle est aussi le fruit de l'esprit : « Mais le fruit de l'esprit est amour, joie, paix, patience, bonté, bénignité, fidélité, douceur, continence » (Gal 5, 22). Ces neuf fruits sont indissociablement liés. Ils sont l'expression de l'Esprit Saint, qui pénètre dans le cœur de l'homme. Plus je donne de place à l'Esprit de Dieu et plus j'entre en contact avec la joie qui se trouve en moi, indépendamment de la situation dans laquelle je me trouve.

Finalement, la joie qui est en moi, est divine

Tout cela me donne un grand sentiment de liberté. En fin de compte, la joie qui m'habite est divine ; pour cette raison personne ne peut la mettre en question. Elle peut, certes, être troublée, mais elle reste présente dans toutes les turbulences de ma vie.

Et c'est justement dans les moments difficiles que je vais essayer d'entrer en contact avec ma joie intérieure. Alors, je pourrai me dire : Advienne que pourra, je ne perdrai pas ma joie intérieure. Dieu est en moi et là où Dieu se trouve se tient aussi la joie, l'intuition que tout est bien et le bonheur d'être un être humain, aimé de Dieu, doué d'imagination et de vie, un homme libre, sur lequel nul n'a prise. Je me souviens d'une époque où je me sentais incompris de mes frères. Ma première réaction fut la colère et la déception. Je courus même le danger de sombrer dans la complaisance envers moi-même. Mais, à ce moment-là, je sentis toute l'importance que je donnais à de tels malentendus et je remarquai que cette expérience était justement un défi pour ma vie spirituelle. Ne puis-je mener une vie spirituelle que si je suis reconnu et approuvé par tous ? Ces critiques vont-elles m'entraîner vers le bas et me faire perdre le goût de la messe et de ma vie de moine ? Ou bien, est-ce un défi qui m'oblige à voir dans le Christ le seul fondement sur lequel je construis ? Voilà les pensées qui me traversèrent l'esprit lorsque je méditai et, tout à coup, j'eus cette intuition : Il y a en moi un espace plein de joie que personne ne peut me prendre. Tout au fond de moi se trouve une source de vie et de joie de vivre qui est plus forte que la reconnaissance ou la compréhension qui me viendraient des autres. Soudain, le fait d'être incompris, ne m'a plus paralysé, il m'a, au contraire donné des ailes et poussé à retrouver le chemin de ma joie intérieure. J'ai même pu, malgré cet état de paralysie, écrire. Les idées affluaient et je sentis l'immense force de la joie. Elle est une énergie qui ne demande qu'à être diffusée, qui est bien plus forte que tous les obstacles extérieurs. La joie est comme une cascade, qui entraîne avec elle les éboulis et qui contourne les rochers. C'est un fleuve vivant, qui bouscule nos énergies et qui les remet en mouvement. Elle ne se laisse pas arrêter ; au contraire, elle atteint immanquablement son but, en dépit des obstacles.

La joie éprouvée à être soi

JEAN LE CHANCEUX ÉPROUVE de la joie à être lui-même. Par notre éducation chrétienne, nous avons parfois désappris à nous réjouir d'être nous-mêmes. Nous avons beaucoup trop orienté notre réflexion sur le fait que nous sommes pécheurs, que nous devons changer, nous améliorer. Cet appel à la conversion, par lequel Jésus commence sa prédication, est très important. Nous nous sommes, en effet, souvent trompés, nous avons cherché la vie là où nous ne pouvions pas la trouver. Cet appel à nous repentir ne doit pas nous amener à ne voir en nous que des pénitents, qui se reprochent sans cesse d'avoir mal agi et de ne pas mériter l'amour de Dieu. Voici comment Jésus commence sa prédication : « Le temps est accompli et le royaume de Dieu est tout proche » (Mc 1, 15). Il nous offre la plénitude de la vie. Si Dieu est proche et si nous nous ouvrons à lui, notre vie perdra son aspect chaotique et sera emplie de joie. Luc raconte en effet que la joie règne partout où Jésus apparaît pour témoigner, non seulement par ses paroles, mais aussi par son comportement, de la proximité aimante de Dieu. Là où Jésus œuvrait, il n'y avait jamais ni atmosphère oppressante, ni volonté de pénitence, ni dévalorisation de soi, ni autoaccusation. Dominait plutôt le sentiment qu'une vie nouvelle était possible, que la liberté et la joie pourraient déterminer notre vie.

Qohèlèt comme messager de la joie

Le livre de Qohèlèt nous invite à éprouver de la joie à être nous-mêmes sans tomber dans la moralisation habituelle. L'auteur essaie de relier la philosophie grecque et la sagesse juive.

Il remet en question quelques dogmes juifs, comme, par exemple, « la bonne action donne toujours le bonheur et une longue vie, et la mauvaise action apporte le malheur et une mort précoce[1] ». La réalité est tout autre. Qohèlèt nous invite à nous réjouir de la vie et à profiter pleinement de

---

1. Norbert Lohfink, *Kohelet. Die neue Echter Bibel*, Würzburg, 1980, p. 6.

la joie de l'instant. Quand la joie se présente, soyons sûrs que Dieu nous l'offre : « Va, mange avec joie ton pain et bois de bon cœur ton vin, car Dieu a déjà apprécié tes œuvres. En tout temps porte des habits blancs et que le parfum ne manque pas sur ta tête. Prends la vie avec la femme que tu aimes, tous les jours de la vie de vanité que Dieu te donne sous le soleil, tous les jours de vanité, car c'est ton lot dans la vie et dans la peine que tu prends sous le soleil » (Qo 9, 7-9). Qohèlèt n'est pas euphorique, il sait qu'au bout du compte tout n'est que vanité, que l'homme ne peut se reposer ni sur le succès ni sur les possessions. De plus, il sait qu'aux moments de joie succèdent aussi les moments de tristesse. « Il y a un moment pour tout [...] un temps pour rire et un temps pour gémir » (Qo 3, 1 s). Mais tant que Dieu nous apporte de la joie, nous devons l'accepter avec reconnaissance et s'en réjouir en toute conscience : « Réjouis-toi, jeune homme, dans ta jeunesse, sois heureux aux jours de ton adolescence [...]. Éloigne de ton cœur le chagrin, écarte de ta chair la souffrance ; mais la jeunesse et l'âge des cheveux noirs sont vanité. Et souviens-toi de ton créateur aux jours de ton adolescence, avant que viennent les jours mauvais et qu'arrivent les années, dont tu diras : "Je ne les aime pas" » (Qo 11, 9 s ; 12, 1).

Un temps pour rire

La joie d'être unique

La joie éprouvée à être soi est aussi la joie de se sentir unique. Cette joie, je peux également l'apprendre. Je prends conscience de moi, de ce que je suis et de ce que je suis devenu.

Je regarde ma vie avec ses hauts et ses bas. Je ne ferme pas les yeux sur les expériences douloureuses. Car, après coup, je peux être reconnaissant et heureux d'avoir tout surmonté et d'être à présent tel que je suis. La joie a ici quelque chose à voir avec la décision. Je fais le choix de m'accepter. Je me permets d'être tel je suis, je cesse de me dévaloriser et de me comparer avec les autres. Je suis moi. Je suis crée par Dieu. Je suis le fils aimé ou la fille aimée de Dieu. Il m'est arrivé, récemment, de faire un rêve. J'avais, le lendemain, rendez-vous avec un conseiller bancaire. Dans mon rêve, je discutais avec le directeur de la banque sur les opportunités de bons placements. Le rêve se termina ainsi : la directeur me tendait une sorte de carte de visite. Voici ce qui était inscrit sur cette carte : « Tu es mon fils bien-aimé. » Au réveil, j'ai senti que cette journée allait bien commencer, que je pouvais me réjouir de ma vie et éprouver une grande joie au travail.

Je fais le choix de m'accepter

La joie de ressentir mon propre corps

La joie d'être moi est aussi celle que j'éprouve à ressentir mon propre corps. Je suis mon corps. Mais, cela, j'ai dû l'apprendre. J'ai appris, chez Graf Dürckheim, que je n'ai pas un corps mais que je suis un corps, que j'ai une représentation de moi dans mon corps. Mais, lorsque j'ai entendu ces paroles, j'étais obsédé par la performance. De même que je voulais être performant dans mon travail, je voulais aussi prendre conscience de mon corps, détendre ce corps, afin que chacun puisse voir que je l'habitais. Mais c'était plutôt astreignant. J'ai donc dû, tout d'abord, me débarrasser de ce besoin de performance, pour connaître la joie d'avoir un corps. J'ai dû me libérer de l'éducation que j'avais reçue, des préjugés sur la sexualité et la nudité, laquelle était forcément indécente. Aujourd'hui, je peux me réjouir de ce corps nu, quand, après une douche, je m'allonge nu sur mon lit. Je ressens alors que je suis mon corps et que ce corps appartient à Dieu. Dieu me l'a donné. J'aime voir mes mains, parce que, grâce à elles, je me sens vivant et je peux exprimer tant de choses. Mes mains sont agiles lorsqu'elles saisissent, lorsqu'elles tapent sur le clavier de l'ordinateur. Elles me permettent aussi d'être tendre, de consoler, d'être proche des autres. Grâce à elles, je peux aussi prier. Quand je les ouvre devant Dieu, je ne fais qu'un avec moi-même et je sens que Dieu exauce le désir de mon corps de ressentir sa présence et sa tendresse.

Hildegarde de Bingen considère cette joie éprouvée par rapport à soi-même et à son corps comme la source où puiser pour mener une vie saine. Pour Hildegarde, l'harmonie entre l'âme et le corps apporte à l'être humain une joie durable. Elle donne la parole à l'âme et lui fait dire : « Ô chair et vous mes membres, dans lesquels j'ai trouvé un abri, je me réjouis de tout mon cœur d'avoir été envoyée en vous[1]. » L'âme se réjouit d'habiter le corps. « L'âme aime son corps et le considère comme un beau vêtement et comme un ornement réjouissant[2]. »

Elle nous présente une spiritualité complète-ment différente de celle de ses contemporains, qui désignaient le corps comme une prison. Elle *Entrer en contact* a une vision positive *avec la joie* du corps, qui est pour *fondamentale* elle une source de joie. La nourriture a donc pour tâche, selon Hilde-garde, d'apporter de la joie aux êtres humains. Elle écrit que l'épeautre est bon pour la santé du

---

1. Hildegard Strickerschmidt, *Hl Hildegard. Heilung an Leib und Seele*, Augsburg, 1993, p. 81.
2. *Ibid.*, p. 46.

corps, mais aussi qu'il maintient l'âme dans un état de gaieté et de sérénité. « Toute la force de vie que Dieu a mise dans la nature doit nous aider à vivre bien et à pouvoir agir avec un cœur empli de joie[1]. » Cependant, pour que l'homme puisse ressentir une joie durable, il lui faut de la discipline. Hildegarde précise le sens de ses indications ascétiques : « Le sens de ces indications n'est pas d'infliger aux humains des complications, mais au contraire de leur permettre d'éprouver de la joie[2]. » C'est pour moi une bonne définition de l'ascèse : l'ascèse doit nous aider à faire de la joie la base de notre vie. L'ascèse va nous libérer du poids écrasant de notre concupiscence et de nos humeurs. Elle va nous mettre en contact avec la joie fondamentale.

Je rencontre une foule de personnes qui refusent leur propre corps. Elles n'ont pas le physique qui correspond à leur idéal. Elles pensent ne pas correspondre aux attentes de leur entourage et se sentent mal dans leur peau. Elles se réfugient dans l'intellect, qui est le siège de tous les mouvements de leur âme. Elles souffrent souvent de maux de tête, car elles sont surmenées. Elles devraient habiter leur corps tout entier, car on ne peut que souffrir lorsque celui-ci se rebelle, faute

---

1. *Ibid.*, p. 27.
2. *Ibid.*, p. 82.

de pouvoir suivre. C'est à moi de ménager mon corps, de le remercier lorsqu'il me rappelle mes limites. Je sais, par expérience, combien il est humiliant de voir notre corps « se mettre en grève » et nous mettre des bâtons dans les roues. Je n'ai aucune garantie que j'aurai encore long-temps la force de travailler et je ne sais pas com-bien de temps il me sera donné de vivre dans ce corps. Moins je sais utiliser mon corps à bon escient, moins je peux y maintenir la joie. Comme le dit Qohèlèt, si je dois me réjouir tant que mon corps est sain et plein de vitalité, il y a aussi des jours que je préférerais ne pas vivre. Nombreux sont ceux qui ne savent pas se réjouir, de peur que cette joie ne s'éteigne aussitôt. Mais il nous appartient de nous réjouir tant que durent les moments heureux au même titre que d'accepter les moments moins agréables envoyés par Dieu. La joie est toujours adéquation à l'instant.

Adéquation à l'instant

Je ne peux me réjouir vraiment que si je suis prêt à renoncer à la joie. Qui veut retenir la joie la chasse ou l'empêche d'advenir.

La joie d'avoir une histoire

Pendant mes vacances, j'ai échangé avec mes sœurs et frères des souvenirs d'enfance. Nous avons beaucoup ri à l'évocation de ces souvenirs. Mon enfance n'a pas non plus été complètement épargnée. Mais j'ai vécu beaucoup de bons moments, l'imagination et la vie, la joie et les rires ne manquaient pas, et cela nous a, à nouveau, réjoui. Certes, il ne s'agit pas de vivre dans le passé et de regretter le bon vieux temps mais le passé fait partie de moi et la joie veut dire aussi, pour moi, avoir une histoire. Lors des entretiens psychologiques que je mène, je n'entends, la plupart du temps, que des plaintes liées aux difficultés de l'enfance. Il est nécessaire de regarder en face les blessures de l'enfance, de les traverser à nouveau pour pouvoir, petit à petit, se détacher d'elles. Mais les souvenirs heureux sont tout aussi importants. Et tout le monde en a. Il suffit de regarder nos photos d'enfance et de jeunesse pour y découvrir qu'une joie intérieure animait, souvent, notre visage : l'enfant porte en lui un monde qui lui est propre et qui n'est pas entravé par l'atmosphère négative qui règne autour de lui. Lorsque certaines personnes, ayant eu une enfance difficile, me montrent des photos de l'époque, je m'étonne de constater combien elles étaient, malgré tout, heureuses de vivre. Je perçois sur la photo un enfant à l'air très farceur, qui semble dire : « Vous pouvez faire de moi ce que vous voulez : je reste moi-même. Je ne me laisserai pas détruire. Je devine vos intentions, mais vous n'avez aucun pouvoir sur moi. » Ces souvenirs peuvent nous permettre de retrouver la joie présente au fond de notre cœur, malgré les vexations subies.

La joie de faire

LA JOIE, JE L'ÉPROUVE aussi dans l'action.
Lorsque je me consacre à une tâche, je ne
me fatigue pas ; au contraire cela me procure de la joie. Je dois, par exemple, me discipli-
ner pour écrire. Si le flot des idées s'interrompt,
je ressens l'envie de me lever, d'aller à la biblio-
thèque et de faire des recherches. Mais je sais que
cela ne m'apportera aucune aide. Si je m'abandonne totalement à l'instant, je peux reprendre le
cours de mes pensées et je n'ai nul besoin de
réfléchir vraiment à ce que je dois écrire. Cela
coule de source et j'ai envie de développer de
nouvelles idées. Lors d'un entretien psychologique, si je suis concentré sur l'écoute, le travail
se transforme en plaisir. Il se produit alors une

vraie rencontre, qui me comble de joie. Lorsque je suis détendu, pendant l'entretien, débarrassé de la pression de devoir résoudre les problèmes de l'autre, la joie l'emporte et nous rions d'avoir déjoué ensemble les manœuvres de diversion et les tentatives de fuite.

La joie de vivre l'instant présent

La joie est l'art de s'abandonner à l'instant : plus facile à dire qu'à faire ! Ainsi, ce matin, malgré les tentatives que je fais pour être tout à fait présent, des pensées s'insinuent en moi, qui me conduisent ailleurs. Je pense, par exemple, à l'entretien de cet après-midi, je me demande comment il se déroulera, je m'interroge aussi sur le séminaire que je tiendrai ce *week-end*. Je dois alors me dire : « Il n'y a rien de plus important que d'être dans l'instant. Je ne fais que ce que je suis en train de faire. » Les pensées qui me détournaient du moment présent disparaissent. Présent à l'instant, je suis aussi présent à mon corps. Je sens mes doigts glisser sur les touches. Je prends conscience de la position dans laquelle je me trouve, droit et stable, et j'en suis heureux. Je connais aussi des moments bien différents, des moments où je suis absent, où j'écris tout en étant ailleurs. Je suis dans l'agitation, je n'ai aucune envie d'écrire et je préférerais me terrer dans un coin. Je me demande alors s'il vaut mieux cesser d'écrire et prendre un livre susceptible de m'intéresser ou tenter de persévérer. Mais pourquoi m'obliger à continuer ? J'ai bien le droit d'avoir envie d'être ailleurs et de me livrer à une autre activité. Il est important pour moi d'écouter ma voix intérieure, qui sait ce qui est bon pour moi. La joie revient quand je suis ce qu'elle me dicte.

La tristesse au fondement de la joie
La joie au fondement de la tristesse

Je vois bien que je suis, pour une grande part, responsable de mes émotions ; je peux laisser monter en moi la joie, la colère, l'agitation, l'insatisfaction ou je peux être déçu de moi-même et du monde entier. D'autre part, quand je suis dans l'instant, la joie ne vient pas non plus automatiquement.

Il se peut qu'une profonde tristesse m'assaille. Si je la laisse advenir, elle ne s'oppose plus à la joie, elle n'est que l'envers de la médaille. Elle fait tout autant partie de la vie que la joie. Si je vais au fond de ma tristesse, si je la suis là où elle veut me conduire, je découvre qu'elle exprime le besoin d'être porté et d'être en sécurité. Je ressens le poids de cette tristesse et en même temps la joie tranquille qui est à son fondement. Je suis en accord avec moi-même et avec mes

désirs inassouvis, avec ma solitude et le sentiment d'être incompris.

La joie de réussir

La joie de faire est liée à la joie de réussir. Certains auteurs spirituels tendent à nous dégoûter
de la réussite. Pourtant, elle fait partie de ma vie,
même si je dois éviter de m'endormir sur mes lau-
riers. Si je fais une conférence, je suis heureux que
la salle soit pleine, mais je sais aussi que ce n'est
pas l'essentiel dans ma vie et que je n'ai pas à
m'en vanter. Cela pourrait agacer mes frères. Je
me contente donc d'enregistrer ce succès et de
me réjouir en sachant que tout est éphémère, que
cela n'aura qu'un temps et que tout peut changer
d'un jour à l'autre. En tant que cellérier, j'ai décidé
de bien des travaux et j'ai même suivi leur déroulement. Cela m'a permis de mesurer la joie qu'on
éprouve à voir s'élever un bâtiment. Aussi puis-je
comprendre les prêtres qui sont heureux de la
rénovation de leur église ou de la construction
d'un presbytère. J'aime connaître le succès dans
les affaires. Mais comme je gère les finances du
monastère depuis vingt ans et que j'ai parfois
perdu de l'argent, je sais que tout a des limites et
qu'à un gain succède une perte.

Malgré tout, je peux me réjouir. Laisser la joie
s'envoler fait encore partie de la joie. La joie me

donne des ailes, elle me permet de travailler dans le plaisir et la légèreté, à la différence des jours où je connais des échecs.

Pour Aristote et Erich Fromm la joie est liée à la créativité. Nous sommes heureux d'avoir mené une tâche à bien, de voir le fruit de notre travail. Mais le plaisir est encore plus intense, quand nous avons été créatifs, lorsque nous avons eu une bonne idée pour aborder un problème,

L'envie de faire, la joie de créer

puis pour le résoudre. Voici ce que dit Hildegarde de Bingen de la joie créatrice : « L'âme éprouve, dans le corps, de la joie à être active et créatrice[1]. » La joie aime à s'exprimer dans une activité créatrice. Tous les artistes connaissent ce phénomène. Souvent, l'éclosion d'une œuvre d'art est comme une naissance qui se fait dans la douleur. Mais, lorsque le tableau, la statue, la phrase musicale ou le poème est né, alors le cœur se dilate. La joie éprouvée après la naissance s'accompagne aussi du plaisir de créer, du plaisir de donner forme. Ce processus est lui-même excitant. J'observe souvent chez les sculpteurs sur bois africains, qui nous rendent visite pour travailler chez nous, cette joie de créer. Ils

---

1. Hildegard Strickerschmidt, *Hl Hildegard. Heilung an Leib und Seele*, Augsburg, 1993, p. 49.

ne font pas d'esquisse et se mettent directement à sculpter. Ils laissent grandir l'œuvre sous leurs mains.

La joie d'être ensemble

L A JOIE AIME À ÊTRE PARTAGÉE. La joie tranquille que je ressens au plus profond de moi existe, certes, mais souvent la joie cherche de la compagnie. Elle veut être communiquée et, dans ce cas, devient plus forte. Tous ceux qui ont apprécié d'être en joyeuse compagnie le savent bien, ils se souviennent des mots d'esprit, des chants et des jeux. Lors de chaque session, dans la maison de récollection, nous faisons une excursion dans la forêt Steigerwald. Nous faisons d'abord une randonnée, puis nous célébrons la messe et nous chantons ensemble. Sur le chemin du retour, j'entends chaque fois les participants dire : « C'était vraiment une belle journée. »

Un jour, nous avions invité des prêtres accompagnateurs spirituels, des psychologues et des religieuses à la maison de récollection, pour nous entretenir du célibat, de la façon de le vivre aujourd'hui, et nous sommes restés assis longtemps autour d'un verre de vin. Ce fut une soirée si joyeuse et créatrice que tout le monde s'est senti bien. De toute évidence, la conversation engagée dans la journée avait renforcé la joie de vivre et rendu possible cette atmosphère de gaieté. Nous échangeâmes des paroles sur la sexualité et sur la façon de l'intégrer dans notre vie spirituelle. Cela changeait des conversations sur le célibat, empreintes de résignation et de frustration, mais entendues si souvent au sein de l'Église. La sexualité intégrée à la spiritualité s'exprime de façon vivante et joyeuse. La sexualité réprimée, au contraire, produit de la dureté, de l'insatisfaction, de la mauvaise humeur. Les avis s'affichent de manière péremptoire mais les plaisanteries grivoises fusent et gâchent l'atmosphère.

« C'était vraiment une belle journée »

L'Église comme assemblée unie dans la joie

Luc décrit l'Église primitive à Jérusalem comme une communauté qui baignait dans la joie. Les premiers chrétiens « rompaient le pain dans leurs maisons, prenant leur nourriture avec allégresse et simplicité de cœur » (Ac 2, 46). En rompant le pain, ils pouvaient sentir la proximité de Jésus, qui les rendait heureux, et revivre l'atmosphère joyeuse des nombreux repas que Jésus avait partagés avec eux lors de ses pérégrinations. Dans ces moments-là, il leur avait annoncé la bonté de Dieu et son amour pour les hommes, mais il avait aussi rendu cet amour vivant et tangible. Pour Luc, la joie est un effet de la présence de l'Esprit Saint : « Quant aux disciples, ils étaient remplis de joie et de l'Esprit Saint » (Ac 13, 52). Être empli de l'Esprit Saint et être déterminé par la joie revient au même. La joie est l'expression de la rencontre avec l'Esprit Saint. Il crée, autour de lui, une nouvelle communauté, une société faite de Juifs, de Grecs, de maîtres et d'esclaves, d'hommes et de femmes, de riches et de pauvres, tous marqués par la joie.

Si nous comparons la situation de l'Église d'aujourd'hui avec celle de l'Église primitive, nous constaterons une différence phénoménale entre les deux. De nos jours, l'ambiance est plutôt à la dépression : on a l'impression que beaucoup tournent le dos à l'Église, on se plaint de la baisse de fréquentation des églises et du manque d'intérêt pour la religion. En outre, les pensées négatives des uns et des autres ne font que nourrir cette dépression, il suffit d'observer les rencontres organisées dans le cadre de la pastorale. On n'y retrouve guère la joie de l'Église primitive. Le théologien orthodoxe Alexander Schmemann estime que la perte de la joie est la cause du détournement des chrétiens de l'Église : « Seule la joie a permis à l'Église de triompher dans le monde, mais elle a perdu son influence lorsqu'elle a cessé de témoigner de cette joie[1]. » On a l'impression que, dans l'Église, le manque d'entrain devient contagieux. L'énergie employée à se mettre à une tâche nouvelle, à se confronter de manière créative aux problèmes disparaît de plus en plus. On se démoralise mutuellement et si quelqu'un refuse de participer à ce travail de sape on lui gâche son plaisir, en disant que c'est lui qui refoule tout, qui refuse de voir la vérité en face.

Nous brisons notre élan et celui des autres

Naturellement, exhorter les paroissiens à la joie serait trop facile, car la situation n'est tout de même pas rose et nous ne pouvons pas fermer les yeux face aux tendances négatives qui se dessinent tant dans l'Église que dans la société.

Il ne faut pourtant pas que cette atmosphère de dépression soit contagieuse, car cela nous prive de toute l'énergie dont nous avons besoin, pour

---

1. Alexander Schmemann, *Aus der Freude leben*, Olten, 1974, p. 25.

relever les défis de notre temps. Pour Luc, la joie est un signe qui indique que l'Esprit Saint est en nous. Ne lui faisons-nous plus confiance ou bien nous fermons-nous à son action sur nous, par crainte de devenir trop euphoriques ? Notre dépression vient-elle du fait que nous croyons devoir tout faire nous-mêmes ? Nous ne voyons pas la source de l'Esprit qui jaillit en nous et ne tarit jamais, car elle est justement une source divine ! Peut-être nous réfugions-nous aussi dans la plainte, pour nous protéger de l'aiguillon que représente l'Esprit Saint, quand il nous pousse à l'engagement ou au combat ? Nous préférons rester assis confortablement, à juger l'état des choses au lieu de nous lever et de nous engager dans l'action.

J'ai, moi-même, assisté à ce genre de rencontres déprimantes. Dans les années soixante-dix, nous avons eu à déplorer, à Münsterschwarzach, de nombreux départs ; les rencontres étaient, à cette époque, toutes teintées de tristesse en raison de l'état désolant de notre communauté. Au lieu de nous réjouir, nous nous tirions mutuellement vers le bas. Une forte pression pesait sur le groupe et lui faisait voir tout en noir. Cela n'améliora en rien la situation. En outre, nous n'avions plus, par notre propre faute, l'élan nécessaire pour faire souffler un vent nouveau dans la communauté. Ce n'est que lorsque nous nous confrontâmes à des thèmes spirituels, nous concernant personnellement, sans fermer les yeux sur la réalité, que l'atmosphère s'améliora peu à peu. Quelque chose bougea alors chez nous. Malgré les départs, douloureux pour nous, nous avons pu voir quelles potentialités nous avions et quels merveilleux souvenirs nous liaient. Une grande vitalité se fit jour quand nous nous mîmes à nous battre pour l'avenir de notre abbaye. L'un des moines cita ce verset d'un psaume : « Voyez ! Qu'il est bon, qu'il est doux d'habiter en frères tous ensemble ! » (Ps 133, 1.) Le fait d'échanger sur ces expériences positives a considérablement transformé le climat de l'abbaye.

Certes, il y a aussi, à côté de la pression négative qu'il peut exercer, un effet euphorisant dû au groupe. Il s'agit alors de tout considérer sous un angle positif. C'est également une forme de pression qui pousse à la performance spirituelle. Dans certains cercles spirituels, il est préconisé de faire cet exercice : raconter chaque jour où nous avons rencontré Dieu, ce qu'il nous a dit et en quoi il a accompli des miracles sur nous. Cela me rend sceptique, car il ne se passe pas chaque jour quelque chose de merveilleux. D'autre part, nous connaissons parfois des phases pendant lesquelles nous ne percevons pas de miracles et nous ne reconnaissons pas Dieu dans les événements quotidiens. Lors de ce genre de tables rondes, j'ai l'impression que les participants suivent un certain déroulement. Il faut d'abord être athée, corrompu et vide. Puis, tout à coup, Dieu intervient dans notre vie et tout change. À ce moment-là, nous sommes soudain emplis de l'Esprit de Dieu. Celui qui est incapable de raconter ce genre de récits a, bien sûr, mauvaise conscience. Ou bien il va s'énerver, parce qu'il ne ressent pas, dans sa vie quotidienne, la présence de l'Esprit Saint. Un autre s'imaginera peut-être guidé par lui et empli de joie. Mais, dans ce cas, il fermera les yeux devant la réalité, devant sa vie si dénuée de spiritualité. Son sourire ne fera que masquer la tristesse de son visage ; sa joie n'est, en réalité, que de façade. Ce qu'il faut, au contraire, c'est affronter la réalité. En effet, nous pouvons nous rendre malades en nous obligeant à tout voir positivement, car tout n'est pas complètement positif. S'obliger à séparer le positif du négatif peut provoquer des troubles psychiques ou physiques. Sur fond de désillusion, nous devrions plutôt retrouver la trace de la joie dans notre vie. Si, dans la grisaille du quotidien, nous redécouvrons cette trace, un changement s'opérera en nous, qui déteindra sur les autres. Le groupe de parole fera une expérience nouvelle, une atmosphère positive naîtra, reposant sur l'entente et la reconnaissance. L'expérience de joie des uns donnera confiance aux autres et ils auront envie de vivre la même expérience. Mais il faut rester de bonne foi et ne pas exiger des autres qu'ils voient tout de façon positive, qu'ils le fassent absolument, cela serait de la manipulation.

La joie donnée et reçue

IL Y A QUELQUES ANNÉES notre frère Célestin mourut, âgé de quatre-vingt-douze ans. C'était un original. Il était toujours prêt à plaisanter. Le jour de ma fête, il venait dans mon bureau, même lorsqu'il fut très âgé, me lisait un poème qu'il avait lui-même écrit et me jouait un morceau de trompette. Quand il ne put plus jouer de la trompette, il prit son harmonica et, tout en jouant, il dansait. Ensuite, je le remerciais, et il me répondait que c'était merveilleux de faire plaisir aux autres. Comme nous sommes une centaine de frères dans notre abbaye, frère Célestin faisait, chaque année, plusieurs fois son petit tour de scène. Cela le maintenait en vie et lui apportait une grande joie. Mais les autres frères étaient également heureux de voir que quelqu'un pensait à eux et se donnait la peine de donner un petit spectacle. Pourtant, c'était frère Célestin qui en tirait le plus de plaisir.

D'aucuns pourraient m'opposer que le frère nous utilisait pour se mettre lui-même en scène et jouir de son petit succès. Nos connaissances psychologiques ont aiguisé notre regard et nous permettent de reconnaître les personnes qui aiment aider les autres pour se grandir. Mais là nous courons le danger de glisser vers un nouveau perfectionnisme et même vers une sorte de puritanisme. Est-ce si grave, si frère Célestin éprouvait tant de joie à faire plaisir aux autres ? Si la joie est partagée, c'est une bénédiction. D'ailleurs, frère Célestin est resté, jusqu'à un âge avancé, un être plein d'humour et de joie de vivre. Il n'avait pourtant pas eu toujours une vie facile. Un jour, il a raconté qu'il récitait son chapelet lorsqu'il avait quelque chose de lourd à porter et, surtout, qu'il réfléchissait sur ce mystère : « Il a porté pour nous une si lourde croix. » Cela lui redonnait toujours de la force. Il est resté vivant jusqu'au bout, parce qu'il n'avait pas pour seule préoccupation sa maladie, parce qu'il ne se plaignait pas de ne plus pouvoir travailler comme il l'aurait voulu, bref, il s'intéressait aux autres. Il passait beaucoup de temps à réfléchir à la façon de faire plaisir aux autres, cela le réjouissait et l'a maintenu en bonne santé.

Le danger inhérent à notre époque est de nous empêcher de voir, par pur narcissisme, ce qui ferait du bien à ceux qui nous sont proches.

Nous ne voyons pas non plus ce dont nous aurions nous-mêmes besoin. Car, si nous ne nous concentrons que sur nos besoins, nous ne serons jamais satisfaits. Les besoins sont comme un puits sans fond. Mais si je détourne le regard de moi-même, si j'essaie de *Abandonnons ce sentiment vague d'inanité et d'absurde* me mettre à la place des autres et si j'ai, spontanément, l'idée de ce qui pourrait leur faire plaisir, j'abandonnerai ce sentiment vague d'inanité et d'absurde. J'aurai plutôt le sentiment d'être encore important aux yeux des autres, de pouvoir leur faire plaisir, de pouvoir être utile. Je pourrai améliorer l'atmosphère autour de moi et, par la même, changer mon propre état d'âme. Faire plaisir aux autres me don- *Faire plaisir aux autres* nera une plus grande joie de vivre.

Cessons de nous torturer pour savoir si nous agissons par égoïsme, par souci d'aller mieux. Il nous faut suivre notre intuition et penser que cela nous fera du bien et sera agréable aussi pour les autres. La joie obéit à cette loi : elle a besoin de se répandre, de contaminer les autres. Cette contagion s'exerce dans les deux sens, de moi-même vers les autres et des autres vers moi-même. D'après Philipp Lersch, « les mouvements de l'ouverture, de l'étreinte, du don[1] » font partie de la joie. Comme le dit le proverbe : « Plaisir partagé, plaisir doublé. »

Une étude américaine a prouvé que « les êtres humains qui aident les autres, ont un état de santé bien meilleur que celui des personnes du même âge et qui ne le font pas[2] ». Cette étude parle de « *helper's high* ». Celui qui aide et qui fait plaisir, ressent « une chaleur soudaine, un surplus d'énergie, un sentiment d'euphorie ». De toute évidence, ce que nous faisons pour les autres est bénéfique aussi pour nous. Il m'arrive souvent de rencontrer des personnes qui se réjouissent quand elles réussissent à apporter de la joie aux autres. Cela provoque vraiment en elles un regain d'énergie et de puissance créatrice, car elles se demandent comment faire plaisir. Toutefois, elles connaissent parfois des déconvenues, il arrive qu'elles se donnent beaucoup de mal pour trouver ce qui fera plaisir à l'autre, et pourtant elles ratent leur cible, car l'autre n'est plus capable de se réjouir. C'est vraiment frustrant. Quand les enfants se contentent de comparer les cadeaux qu'ils ont reçus

---

1. Philipp Lersch, *Aufbau der Person*, Munich, 1964, p. 237.
2. Herbert Benson, *Heilung durch Glauben*, Munich, 1997, p. 217.

pour voir lequel a coûté le plus cher, on peut dire qu'ils ont perdu la capacité de se réjouir. Et on se trouve dans une situation fort désagréable. En revanche, j'ai deux nièces dont le plus grand plaisir est de recevoir une lettre pour leur anniversaire. En l'occurrence, on a encore du plaisir à faire des cadeaux. Un supérieur s'est déjà plaint auprès de moi, car il ne savait plus quoi offrir à nos frères pour Noël. « Ils ont déjà tout », disait-il. Dans un climat où la joie disparaît, meurent aussi l'élan de vie, l'inventivité, la joie de vivre. Cette joie de vivre, nous ne l'éprouvons que lorsque nous mettons toute notre ardeur à faire plaisir aux autres et lorsque nous sommes encore capables de nous réjouir de l'attention que les autres ont eue pour nous.

La joie ressentie
devant la Création

O N TROUVE DANS L'ANCIEN TESTAMENT des textes
qui expriment la joie ressentie devant
l'action de Dieu et d'autres qui relatent la
joie ressentie devant la création. Les fidèles se
réjouissent de la beauté de la création dans
laquelle Dieu leur a permis de vivre. Dans le
psaume 104, l'orant expose comment Dieu prend
soin des animaux et des hommes. Il fait jaillir des
sources, auxquelles peuvent s'abreuver les
onagres. Des branchages s'élève le chant des
oiseaux (Ps 104, 11 *s*). L'orant voit Dieu comme
celui qui prend plaisir à contempler ses œuvres.
Voici comment il répond au jeu merveilleux de la

création : « Je veux chanter à Yahvé tant que je vis, je veux jouer pour mon Dieu tant que je dure. Puisse mon langage lui plaire, moi, j'ai ma joie en Yahvé » (Ps 104, 33 s). Par son langage le psalmiste imite Dieu. En grec, le même mot signifie création et poésie : *poiesis*. Le poète veut chanter ce monde aussi bien que Dieu l'a crée. La beauté de son chant doit faire résonner la beauté du monde.

Les nombreuses petites joies du quotidien

Celui qui a un sens pour la beauté de la création, a, chaque jour mille occasions de connaître la joie. Dès le matin, quand j'ouvre ma fenêtre, je ressens avec joie l'air frais qui pénètre dans ma chambre. J'aime aussi regarder le lever du soleil à l'horizon baigné d'une douce lumière rose. Dans la nature, je perçois la beauté des fleurs et de l'herbe ; dans la forêt, je découvre les multiples nuances de vert. Je sens le vent, qui me caresse doucement ou qui me secoue quand il se fait tempête.

Beauté et parfum du foin

Je sens le parfum des sapins ou du foin dans la prairie. Chaque odeur est liée à des souvenirs chargés d'émotions. L'odeur du foin me rappelle toujours l'été et les vacances. Même lorsque je me rends au travail ou que je m'apprête à faire une conférence, cette odeur peut me donner une impression de vacances. Quand je me rends en voiture sur le lieu d'un séminaire, j'en profite pour jouir du paysage que je traverse. Chaque paysage a son charme, les vastes plaines, les montagnes majestueuses, la vallée accueillante et le fleuve qui y coule, le lac qui se tapit entre les collines. Dans ces moments-là, je n'ai pas besoin de me forcer pour être content. Je n'ai qu'à percevoir ce qui est. Et la joie emplit tout mon être.

De nombreuses personnes restent, aujourd'hui, incapables de ressentir une telle joie. Leur regard est tellement fixé sur leurs problèmes personnels, sur leurs plaintes omniprésentes qu'elles ne sont plus capables de voir la beauté du monde qui les entoure. Elles ne voient pas ce qui est. Elles ne sont pas en contact avec la création dans laquelle elles sont, pourtant, ancrées. Or, la joie est l'expression d'une relation intense et elle est toujours liée à la beauté. La beauté de la création provoque elle-même de la joie en moi. Il me suffit de rester ouvert à cette beauté. Si je prends conscience de la beauté de la création, si je m'en réjouis, j'en verrai les effets sur ma santé, au plan physique comme au plan psychologique. Mes yeux brilleront et la vie s'épanouira en moi. Je n'aurai plus l'impression que la vie est pesante. Je ne penserai plus à mon rendez-vous professionnel, mais j'admirerai les couleurs des arbres et des buissons, le vert du printemps ou le jaune et roux de l'automne. Mon cœur se dilatera alors vraiment. Si, au contraire, pendant tout le trajet, je ne pense qu'à arriver à l'heure, je ne ferai qu'augmenter mon *stress*. Il vaut mieux admirer le paysage, avoir le sentiment d'être en vacances, se sentir libre, heureux et reconnaissant.

L'expérience de la nature comme expérience de Dieu

Si j'éprouve devant la création et devant Dieu la même joie, je peux nommer ces expériences d'intense bonheur dans la nature expériences de Dieu. Je ne les disqualifierai pas ; il est possible, en effet, de se sentir plus proche de Dieu dans la nature. L'office divin n'est pas le seul lieu propre à la rencontre avec Dieu, comme on le disait dans ma jeunesse. Je serai plus attentif aux sentiments éprouvés devant l'eau, les prairies, les forêts et les montagnes, évoqués par certaines personnes, parce qu'elles affirment faire là une expérience de Dieu.

Ressentir le mystère

Une jeune femme, qui avait du mal à se plonger dans la méditation, me raconta qu'elle pouvait s'oublier elle-même, quand elle était assise face à la mer. Elle se sentait alors unie à Dieu. Je lui ai demandé ce qui la fascinait dans cette situation. Elle me répondit qu'elle observait les vagues.

Cela la calmait, les soucis qui la harcelaient disparaissaient. Et, parfois, quand les lames se brisaient, elle ressentait le mystère. De quel mystère parlait-elle ? Elle m'expliqua qu'il s'agissait du mystère en soi, quelque chose d'indescriptible mais de merveilleux. Son plus profond désir était de pouvoir peindre si précisément ce qu'elle voyait que cela ressemblerait à la réalité. Dans ces moments-là, elle avait le sentiment qu'une partie d'elle-même était intangible et hors d'atteinte, car elle était en contact avec l'en-soi. Vu la façon dont elle parlait, j'eus vraiment l'impression que son expérience était liée au spirituel. Pour moi, il ne faut pas considérer la joie éprouvée devant la création comme secondaire et ne voir la véritable rencontre avec Dieu que dans la prière. Chacun peut choisir l'endroit où il se trouvera au plus près de Dieu.

Si Dieu est joie, une joie intensément vécue est aussi expérience de Dieu. Trop de personnes pensent ne faire acte de piété que lorsqu'elles prient ou méditent. Mais si l'empreinte laissée par la joie est aussi une empreinte spirituelle, il faut vivre consciemment et jusqu'au bout les moments de joie. Qu'est-ce que je ressens quand je me sens heureux au plus profond de mon cœur ? Que déclenche cette joie ? La vie spirituelle a, certes, besoin de discipline. Mais si la spiritualité ne se résume qu'à la prière régulière et à la messe, c'est un peu court et, à la longue, bien éloigné de la vie.

Au contraire, si je suis l'empreinte laissée par la joie, je trouverai la spiritualité qui me convient, celle qui est l'expression de mon désir le plus profond et de ma relation à Dieu.

Joie et santé

L A PSYCHOLOGIE RECONNAÎT que la joie fait du
bien à l'homme, mais la médecine aussi. Le
professeur de médecine américain Herbert
Benson a prouvé que « le souvenir du bien-être »
permet de se remettre plus vite d'une opération
et de garder une bonne santé[1]. La joie détend, elle
ménage donc notre corps, qui est souvent soumis
à trop de *stress*. C'est comme un conducteur qui
roulerait en sous-régime : il veut accélérer mais
reste en troisième. Nous savons aujourd'hui
quelle influence peuvent avoir l'humeur et la
pensée sur notre santé. Celui qui ne nourrit que

---

1. Herbert Benson, *Heilung durch Glauben*, Munich, 1997,
p. 29 *s.*

des pensées négatives finit par affaiblir sa résistance aux infections. Celui qui laisse une grande place à la joie dans son cœur prend plus de recul par rapport aux aléas de la vie et n'attrapera pas tous les microbes qui traînent.

La sagesse de la Bible

Ce qu'enseignent aujourd'hui la psychologie et la médecine, a été reconnu, il y a vingt-cinq siècles par la sagesse de l'Ancien Testament. Le livre des Proverbes vante la fonction lumineuse et bénéfique de la joie pour la santé : « Une peine au cœur de l'homme le déprime, mais une bonne parole le réjouit » (Pr 12, 25). Dans ce passage, on peut constater que les observations psychologiques concernant la joie sont intégrées à l'enseignement spirituel. La peine accable l'homme, la joie le relève, éclaire le corps et l'âme. La joie embellit l'être humain : « Cœur joyeux fait bon visage, cœur chagrin a l'esprit abattu » (Pr 15, 13). Un proverbe populaire dit que, après quarante ans, on est responsable de son visage. Le visage de certaines personnes trahit l'amertume, il est devenu dur et froid. D'autres ont, au contraire, les yeux qui brillent de joie. On aime à regarder ces personnes-là, elles sont plus belles que celles qui ont le visage figé par la colère et l'amertume, même si elles ont eu un beau visage dans leur jeunesse.

Celui qui laisse, dans sa vie, trop de place à la peine, se blesse lui-même et rend sa vie difficile : « Pour le pauvre tous les jours sont mauvais, pour le cœur joyeux, c'est un banquet perpétuel » (Pr 15, 15). La joie ne change pas seulement l'aspect physique, elle est bonne pour la santé du corps : « Cœur joyeux améliore la santé, esprit déprimé dessèche les os » (Pr 17, 22). Celui qui sait se réjouir, se sent bien dans son corps. Ce bien-être améliore la santé. Celui qui, au contraire, se laisse abattre par la colère et les soucis, ne peut pas aimer son corps. Il a le sentiment d'être absent à son corps. Il ne se tient pas dans « le flot de la vie ». Il se dessèche, se tarit. La joie dont parle le livre des Proverbes est celle éprouvée au quotidien, la joie de jouir de la vie. Mais la joie a aussi un autre fondement : la sagesse que Dieu confère à l'homme. Celui qui laisse Dieu lui montrer le chemin réussit sa vie, son cœur est joyeux et son corps bien-portant. « La joie du cœur, voilà la vie de l'homme, la gaieté, voilà qui prolonge ses jours [...]. Passion et colère abrègent les jours, les soucis font vieillir avant l'heure » (Si 30, 22-24 s). On voit ici comment le savoir populaire loue les effets bénéfiques de la joie et la considère comme une sagesse offerte à l'homme par Dieu lui-même.

Un cœur joyeux a une bonne influence sur le corps

La joie comme aiguillon

Ces observations de la sagesse juive correspondent tout à fait aux découvertes de la psychologie moderne. Voici ce qu'écrit Heinz-Rolf Lückert dans *La Psychologie du xxe siècle* : « Selon toute apparence, l'être humain est biologiquement plutôt fait pour la joie que pour la mauvaise humeur. Dans la joie, nous avons plus de chance de connaître la réussite, nous résolvons plus facilement les problèmes, nous coopérons plus facilement, nous avons une meilleure perception des choses[1]. » Que se passe-t-il lorsque nous nous réjouissons ? Le cœur se dilate et cela fait naître un sentiment de légèreté, d'accord avec ce qui est. Le mot allemand *Freude*, la joie, vient d'une racine qui signifie « en mouvement, vivant, rapide ». La joie fait battre notre pouls plus vite, elle fait circuler l'énergie en l'homme, tout est plus facile. Celui qui est intérieurement plein de vie est heureux et satisfait. Tout lui semble plus facile, la pesanteur disparaît, il ressent la légèreté de l'être. L'auteur des Proverbes a eu la finesse de comprendre que la joie avait des effets bénéfiques

---

1. Heinz-Rolf Lückert, « Begabung, Intelligenz, Kreativität », dans *Die Psychologie des 20. Jahrhunderts* XI, Zürich, 1980, p. 467.

sur le corps. Nous exprimons d'ailleurs notre joie physiquement. Nous sautons de joie, nous rions, nous chantons, les mines tristes se dérident. Nous sommes tout à coup plus décontractés et avons plus d'énergie. Nous nous sentons bien et avons envie d'embrasser le monde entier. Nous ne nous sentons plus menacés par les autres ; au contraire, nous recherchons leur présence, nous avons besoin d'eux pour exprimer notre joie. La joie ne nous pousse pas seulement à rechercher la compagnie des autres, mais aussi l'action.

La joie est la meilleure motivation

Elle est la meilleure motivation pour s'atteler à de nouvelles entreprises, pour être créatifs, pour explorer de nouvelles pistes susceptibles de résoudre des problèmes anciens. Friedrich Schiller a décrit ses effets dans son célèbre *Hymne à la joie*, où il parle de la joie comme d'« une belle étincelle divine » qui devient l'aiguillon de toute acte créateur :

La joie est le moteur puissant
dans l'éternelle nature.
La joie, la joie fait tourner les rouages
dans la grande horloge du monde.
Elle fait sortir les fleurs de leurs germes,
briller le soleil au firmament,
rouler dans l'espace les sphères

que l'astronome ne connaît pas.
Joyeux comme le soleil qui vole
à travers les splendides plaines du ciel,
courez, frères, votre carrière,
heureux comme le héros qui court à la victoire.

Si la psychologie donne comme critères de
bonne santé la capacité à s'émouvoir, à nouer des
relations et à accomplir un travail, alors la joie
réunit ces trois conditions. Elle est l'émotion qui
nous pousse à agir et qui nous met en relation
avec les autres. Elle est l'émotion qui dénoue les
tensions intérieures, qui met la vie en mouvement,
qui relie tout en nous, qui réunit l'âme et le corps.
C'est pourquoi, elle est une source de bonne santé.
Nous sommes nous-mêmes responsables soit de
nourrir des sentiments négatifs, qui nous dépri-
ment, soit de nous laisser guider et animer par la
joie de vivre, pour être en bonne santé. Certes, la
joie ne peut pas éviter toutes les maladies. La
maladie fait partie de la vie comme la bonne santé.
Mais il ne tient qu'à nous que nous nous laissions
affaiblir en nous dévalorisant ou en nous niant
nous-mêmes, ou que nous nous renforcions intérieurement grâce à l'énergie fécondante de la joie.

Joie et amour

L A LITTÉRATURE DE SAGESSE de l'Ancien Testament nous invite à nous réjouir de tout ce que Dieu nous offre, à trouver la joie dans la « femme de notre jeunesse », qui nous a ravis par sa beauté (Pr 5, 18), à la trouver aussi dans les enfants que Dieu nous a donnés ou dans la sage intelligence de notre fils (Pr 10, 1), dans nos succès professionnels ou dans une bonne récolte. La plus grande joie que Dieu ait donnée à l'être humain est, pour l'Ancien Testament, la joie de l'amour entre un homme et une femme. Le Cantique des Cantiques chante cette joie de l'amour entre la fiancée et son fiancé : « Que ton amour a de charmes, ma sœur, ô fiancée ; que ton amour est délicieux, plus que le vin » (Ct 4, 10). L'amour et la joie sont intrinsèquement liés. L'amoureux sent comme il est porté par le sentiment de joie.

Oui, l'amoureux peut, avec le fiancé du Cantique des Cantiques dire : « Tu me fais perdre le sens, ma sœur, ô fiancée, tu me fais perdre le sens par un seul de tes regards » (Ct 4, 9). Pour lui, la froideur hivernale des sentiments est finie : « Sur notre terre les fleurs se montrent. La saison vient des gais refrains » (Ct 2, 12). L'Ancien Testament chante ouvertement cet amour entre un homme et une femme et exprime la joie ressentie. Le christianisme a développé une morale étroite, qui a souvent entravé la joie de l'amour entre homme et femme. Pour l'Ancien Testament, l'amour est le plus grand présent que Dieu ait fait aux hommes.

« Que ton amour a de charmes, ma sœur, ô fiancée »

Dans l'amour entre l'homme et la femme, nous faisons l'expérience de l'amour et de la présence de Dieu. « D'un amour éternel je t'ai aimé », dit Dieu à son peuple (Jr 31, 3). Et il compare l'amour qu'il porte à son peuple à l'amour d'un jeune homme. « Yahvé t'a appelée [Jérusalem], comme la femme de sa jeunesse qui aurait été répudiée, dit ton Dieu. Un court instant je t'avais délaissée, ému d'une immense pitié, je vais t'unir à moi » (Is 54, 6 *s*). L'amour et la joie sont intimement unis. Tous deux augmentent le sentiment de vie, nous donnent de vivre plus intensément. La vie sans amour est impensable, la joie fait donc partie de la vie véritable. Une vie coupée de la joie est une vie réduite, mutilée.

Si le croyant de l'Ancien Testament exprime sa piété surtout dans la joie en Dieu et dans la joie de l'amour, offerte par Dieu, il nous faut revoir de plus près notre vie spirituelle. Est-elle marquée par une pression négative, par la peur de ne pas être à la hauteur de Dieu et de ses propres ambitions, par le sentiment de ne pas être assez bien et donc de devoir travailler avec acharnement sur soi-même ? Ou bien est-elle abreuvée par la joie de vivre, par l'amour pour Dieu et pour les hommes ? La joie ne peut pas s'épanouir dans une piété qui exige avant tout la perfection. Elle est un fruit de l'amour. Seul celui qui laisse l'amour inonder son cœur sera capable d'éprouver la joie. Certes, l'amour apporte aussi des tourments. Il n'y a pas d'amour sans douleur. Mais il est certain que ne peut s'ouvrir à l'amour que celui qui connaît la joie vraie et qui est prêt à accepter la souffrance liée à l'amour.

La joie éprouvée en Dieu

L ES PSAUMES, livre de prières du juif pieux, évoquent sans cesse la joie éprouvée en Dieu et la joie éprouvée au Temple. « Et j'irai vers l'autel de Dieu, jusqu'au Dieu de ma joie » (Ps 43, 4). L'allégresse éprouvée, par le croyant, dans la perspective d'une rencontre avec Dieu, vécue avec les autres au Temple, et devant la beauté des offices traduisent cette joie en Dieu : « Quelle joie quand on m'a dit : allons à la maison de Yahvé ! » (Ps 122, 2.)

L'orant reconnaît Dieu comme celui qui métamorphose « le deuil en une danse » (Ps 30, 12). Il sait que Dieu sèche les larmes et redonne la joie. « Ceux qui sèment dans les larmes moissonnent en chantant. On s'en va, on s'en va en pleurant, on porte la semence ; on s'en vient, on s'en vient en chantant, on rapporte ses gerbes » (Ps 126, 5-7). Cette certitude nous évite de persister dans les larmes et la douleur qui accompagnent le début de tout processus de croissance. Dieu est, pour l'orant, la garantie que la joie reviendra dans sa vie. Car, dès que Dieu agit sur nous, nous savons que nous pourrons à nouveau nous réjouir. Dieu est lui-même la source de toute joie.

La joie inaltérable de Dieu

Est-ce que ce sont là des expériences vécues uniquement par le fidèle de l'Ancien Testament ? Pouvons-nous répéter, d'un cœur sincère, les paroles du psalmiste dans nos prières ? Nous, les moines, nous récitons les Psaumes quatre fois par jour. Cela nous soumet à un régime de douche écossaise. Les psaumes dans lesquels l'orant se plaint de son sort, s'en prend à Dieu et récrimine contre ses ennemis alternent avec ceux où il exhorte à louer Dieu et à être dans la joie et l'allégresse. Je ne suis pas toujours dans les dispositions exigées par le psalmiste. Mais, lorsque je me laisse contaminer par les paroles de joie, je sens à quel point elles me font du bien et à quel point elles sont vraies. Par ces paroles, j'entre en contact avec la joie tapie au plus profond de moi. Je me rends compte que, bien souvent, je me laisse submerger par une humeur noire et me laisse emporter par la colère pour des choses sans importance. Les Psaumes me montrent combien tout cela est relatif et combien je me nuis à moi-même en m'attachant à des détails.

Lorsque je m'imprègne des exhortations à la joie, il m'apparaît aussi combien la joie humaine est fragile. La joie donnée par une amitié profonde est aussi rongée par le doute et la jalousie. Celle donnée par le succès d'une conférence ou d'un livre est vite relativisée après les premiers applaudissements. Je sens bien que je ne peux vivre dans la seule attente de ceux-ci. La joie que procure un entretien réussi est vite remplacée par la contrariété due aux problèmes non résolus, qui paralysent notre communauté.

Une joie que personne ne peut me dérober

Dans la prière, j'accède à une joie qui n'est ni fragile ni menacée par les insuffisances humaines. Dans ces moments, affleure la joie indestructible, infinie et constante dont parle Grégoire de Nysse, une joie qui n'est pas reliée au monde visible mais qui jaillit du lien avec Dieu et qui fait naître en moi une paix profonde. Il ne faut pas essayer de retenir la joie qui survient lors de la prière. Je sais, en effet, qu'à l'instant suivant un autre sentiment viendra troubler mon cœur. Mais j'ai été en contact avec cette sensation de joie que nul ne pourra me dérober et qui restera tapie au fond de mon cœur. Peut-être sera-t-elle recouverte par la colère ou la tristesse causée par un entretien raté, mais la prière me conduira à nouveau au fond de mon âme, dans l'espace intérieur où Dieu cohabite avec la joie.

La joie parfaite dans l'évangile de Jean

C'est surtout dans cet évangile qu'est évoquée la joie éprouvée en présence de Dieu et en Dieu. Jésus, dans ses paroles d'adieu, promet à ses disciples une joie qui sera d'une autre qualité que celle apportée par les hommes. Jésus parle d'une joie accomplie ou d'une plénitude dans la joie. Il dévoile à ses disciples les paroles qu'il a entendues de son Père, « pour que la joie, la mienne, soit en vous et que votre joie trouve sa plénitude » (Jn 15, 11). Et dans la prière sacerdotale, il dit : « Et je parle ainsi dans le monde, pour qu'ils aient la joie, la mienne, dans sa plénitude, en eux-mêmes » (Jn 17, 13). Il indique donc à ses disciples qu'ils seront emplis d'une joie qui n'est pas de ce monde. Ses paroles vont provoquer cette joie. Si, aujourd'hui, je médite ces paroles, elles produiront en moi une joie comparable à celle des apôtres, autrefois, lors de la Cène. Ce sont des mots que Jésus a prononcés avant sa mort, mais aussi des mots que le Ressuscité m'adresse personnellement depuis le ciel, afin d'emplir mon cœur de joie. Pourtant, ces paroles ne font pas toujours l'effet escompté. Il me faut les apprécier, les goûter, les bercer dans mon cœur, afin qu'elles me pénètrent complètement. Je m'imagine alors que Jésus me parle, afin que je trouve la joie. Je ressens ensuite quelque chose qui ressemble à cette joie d'un autre monde, offerte par Dieu pour me permettre de goûter une autre dimension de la vie, pour me donner un avant-goût de la vie éternelle.

Jésus parle de la plénitude de la joie comme de la plénitude de la vie et nous promet : « Moi, je suis venu pour qu'on ait la vie et qu'on l'ait surabondante » (Jn 10, 10). Le terme grec *pleroun,* signifie emplir, achever, accomplir. Dans ce mot, nous avons l'image d'une totalité, d'un accomplissement. La joie surabondante est vie pleine, vraie, elle est l'expression de la vie éternelle, ce que Jean appelle une nouvelle dimension de la vie, offerte par Jésus. Pour Jean, la joie est donc la preuve irréfutable que nous avons, en Jésus-Christ, reçu la vie éternelle, la vie divine, et quelle nous imprègne totalement. La joie a, en Jésus, trouvé sa mesure. Jésus est le révélé qui a dévoilé aux hommes le mystère de Dieu et qui leur a permis de participer à la joie de Dieu. Car Dieu est vie et amour, mais aussi joie. La joie est, de ce fait, chez Jean, un don divin. Elle est l'expression de la vie que Dieu me donne par Jésus-Christ, de la vie éternelle, qui est en même temps amour. Le pape Jean XXIII l'avait compris, quand il disait que nous pouvions nous ouvrir, « par la joie, directement au reflet du Seigneur[1] ».

Jésus dit, dans l'évangile de Jean, que les apôtres ont de la peine dans ce monde, parce qu'ils souffrent de l'absence de Jésus. « Vous serez, vous, attristés, mais votre tristesse se changera en joie. La femme, quand elle enfante, a de la tristesse, parce que son heure est venue ; mais quand elle a donné le jour à l'enfant, elle ne se souvient plus de l'affliction, dans la joie de ce qu'un homme est né au monde. Vous donc aussi maintenant vous avez de la tristesse, mais de nouveau je vous verrai, et votre cœur se réjouira ; et votre joie, nul ne vous l'enlèvera » (Jn 16,20-22). Le processus de transformation de l'homme est ici comparé à la naissance d'un enfant. Cette métamorphose est douloureuse, jusqu'à ce que la vie divine naisse en nous. Mais quand le Christ prend forme en nous, quand il imprègne tout en nous, notre cœur est dans une allégresse que le monde ne pourra nous enlever, car c'est une joie qui n'est pas de ce monde.

Une joie qui n'est pas de ce monde

---

1. Jean XXIII, *Brevier des Herzens*, Francfort, 1967, p. 39.

Jean s'empare ici d'un thème gnostique, car la gnose parle aussi de la joie indestructible qui provient d'un autre monde. Pour Jean, la joie caractérise l'homme, qui connaît une nouvelle naissance dans le Christ. Cet homme a atteint la maturité, car il a parcouru le chemin de l'individuation, il est devenu lui-même. La joie est signe d'une relation personnelle à Jésus-Christ, marque de l'ouverture du cœur. La joie est, par conséquent, un critère déterminant de la vie spirituelle.

Quand je lis l'évangile de saint Jean, j'ai souvent le sentiment que c'est trop beau pour être vrai. Je ne peux pas expliquer les phrases de Jean. En tout cas, lorsque je laisse agir ces paroles sur moi sans en questionner le sens, une assurance naît en moi : à mesure que Jésus me fait pénétrer dans le mystère de Dieu se fait jour en moi une joie que nul ne peut me dérober. Voici ce que je me dis pour m'aider : Qu'est-ce que je ressens si ce qui est écrit est vrai, qui suis-je alors en réalité ? J'éprouve, en même temps, les douleurs de la naissance de cette nouvelle vie, de cette joie divine. Je sais, alors, que je n'ai plus besoin de me déterminer par rapport au succès, à la santé, à la performance, ou même à l'amitié et à l'amour. J'acquiers la certitude que quelque chose en moi dépasse le visible, quelque chose qui n'est donc pas de ce monde. Pour cette raison, le monde n'a plus aucun pouvoir sur cette assurance. Mais mourir à ce monde, échapper à son attraction, se fait après un accouchement difficile. Aussi, après cette naissance, je sais que je ne peux pas vivre en permanence au cœur de cette expérience limite. Il me faut me replonger dans les problèmes quotidiens. Mais, au sein de la réalité quotidienne et banale, subsiste quelque chose qui me conduit hors de ce monde. Et là-bas, au lieu du Tout-Autre où me conduit Jésus-Christ, règne la joie en abondance, une joie que nul ne peut me dérober.

La joie d'un moine du Mont Athos

Erhart Kästner parle, dans son livre *Stundentrommel*, du Père Avakum, un moine du monastère Megistri Lava. On pourrait le qualifier de fol en Christ. Il émanait de lui une joie incroyable. Il répétait sans cesse : « Je suis la joie, je suis la joie totale, *olo chara*, *olo chara*. » Et il fait un sermon sur la joie aux hôtes buvant du vin : « La joie est l'éther qui relie tout, la joie unit Dieu et la création ; la mélancolie est ce qui les éloigne, la morosité est un corps étranger. "Je me réjouis de me réjouir en toi", dit le psaume. La joie est le lien à Dieu, l'union avec lui. L'homme est né pour la joie et non pour la tristesse. Pourquoi trouve-t-il sa joie dans les idoles ? Croyez-moi, mes enfants, elles font payer la joie. La joie de Dieu ne coûte rien, moi, par exemple, je ne pourrais pas la payer, car je ne possède rien en ce monde[1]. »

Ce moine avait sûrement goûté la joie dont parle Jean, celle qu'il nomme la joie parfaite et surabondante, celle qui remplit la vie humaine à ras bord. Chez lui, la joie jaillissait tout simplement. Dans le monastère il accomplissait les tâches

La joie de Dieu ne coûte rien

les plus basses. Pourtant il y avait en lui une joie contagieuse, qui subjuguait les visiteurs et qui les plongeait dans une autre réalité. Ce n'était pas une joie surfaite, mais l'expression d'une expérience spirituelle profonde, de sa rencontre personnelle avec Dieu. De la même façon, le carme déchaux Frère Laurent de la Résurrection (1608-1691), disait de lui-même : « Toute ma vie n'est que liberté parfaite et joie constante[2]. » La présence de Dieu dans sa vie le libérait de tous les soucis afférant à sa personne et l'emplissait d'une joie profonde. Il la nomme la joie véritable, celle qui a sa source en Dieu et que ne peuvent détruire ni les vexations ni les souffrances.

---

1. Erhart Kästner, *Die Stundentrommel vom Heiligen Berg Athos*, Wiesbaden, 1956, p. 122 *s.*
2. Nicolas Herman, *Die wahre Freude*, Zürich, 1969.

Jésus, ma joie

Les paroles johanniques sur la joie me font toujours penser au motet de Bach « Jésus, que ma joie demeure », composé à l'occasion des obsèques d'une veuve en 1723. Il avait, pour cette occasion, retravaillé le cantique de Johann Franck composé en 1653.

> Jésus, ma joie, délectation de mon cœur,
> Jésus, ma gloire :
> qu'il y a longtemps
> que mon cœur s'inquiète
> et aspire à toi !
> Agneau de Dieu, mon fiancé
> rien ne doit sur cette terre
> m'être plus cher que toi.

Bach faisait chanter ce texte devant le tombeau encore ouvert. La mort est la dernière station de la renaissance à la vie éternelle, que le Christ nous a offerte par sa parole et son amour. Que ces motets de Bach exercent encore une grande force d'attraction sur leurs auditeurs témoigne du désir des hommes d'aujourd'hui de connaître une joie différente des plaisirs de la vie quotidienne. Il doit bien y avoir une autre joie, dont Jésus est le fondement, une joie qui est plus forte que la mort. La source de notre joie est chantée dans de multiples cantiques, notamment dans ceux qui datent de la guerre de Trente Ans.

La joie devait, en ce temps-là, servir de baume au cœur des hommes. Voici, par exemple, un chant de Christian Keimann, datant de 1646 :

> Bats des mains, ris, chante et danse.
> Chrétienté, redis ta joie.
> Christ s'est approché de toi !
> Chante à Dieu : « Réjouissance ! »
> Car Dieu nous a tant aimés,
> qu'en Christ ils nous a sauvés !
> Chante, chante, terre entière,
> Jésus guérit ta misère,
> chante et que ta voix bénisse
> Christ, le soleil de justice !

Pour moi, la prière du cœur est le moyen qui me permet de ressentir Jésus comme source de ma joie. Lorsque je suis assis devant une icône représentant Jésus-Christ et que je lie la prière de Jésus à ma respiration : « Seigneur Jésus-Christ, Fils de Dieu, aie pitié de moi », je m'imagine que Jésus et la joie demeurent en mon cœur. Et je sais que personne ne peut me dérober cette joie. Chaque matin, quand je médite, je retrouve la source de la joie, qui ne peut être troublée par les conflits du quotidien.

Cette joie se trouve plus en profondeur, c'est une joie silencieuse qui ne s'exprime pas de façon extatique. Je ne peux même pas m'expliquer pourquoi je me réjouis. C'est tout simplement une expérience vécue. L'espace intérieur, qui est la demeure du Christ, est aussi celui occupé par la joie. La joie est un attribut de cet espace. Elle est légèreté et immensité, gaieté et paix, clarté et harmonie. Quand, après ma méditation, je vais célébrer l'eucharistie, j'ai l'impression de porter en moi cette joie et qu'il est de mon devoir de la diffuser au cours des tâches quotidiennes, de mes entretiens et de mes rencontres. Mais, je sais aussi que je dois la protéger, car elle serait

Joie silencieuse devant l'icône du Christ

très vite recouverte par les contrariétés dues à quelques échecs. La joie peut, en effet, se dissoudre rapidement dans l'amertume ou les déceptions qui font inévitablement partie de la vie. La joie a besoin d'attention, afin de ne pas être étouffée par les émotions négatives auxquelles je suis exposé lors de mes entretiens. Une sorte de lutte se déroule, alors, entre la joie, qui est en moi, et la morosité qui m'assaille au cours de l'entretien. Vais-je me laisser contaminer par les sentiments destructeurs de mon interlocuteur ou bien vais-je réussir à conserver cette joie et la communiquer à l'autre ?

La joie au cœur
de la souffrance

L A JOIE ANNONCÉE dans la Bible n'a rien de l'euphorie, elle résiste même dans la souffrance. Jésus lui-même loue ceux qui sont insultés et poursuivis à cause de lui : « Heureux serez-vous lorsqu'on vous insultera, qu'on vous vous persécutera [...] à cause de moi. Réjouissez-vous et exultez, parce que votre salaire est grand dans les cieux » (Mt 5, 11). Dans l'épître aux Hébreux, on peut lire ces propos sur la souffrance de Jésus : « Au lieu de la joie qui lui était proposée, [il] a enduré la croix, au mépris de la honte » (He 12, 2). La joie devant la victoire de l'amour parfait a rendu Jésus capable de dire « oui » à sa mort terrible sur la croix. Nous, chrétiens, nous ne vivons pas dans un monde sans problèmes. Comme Jésus, nous devons nous attendre à ce que la souffrance, la détresse, la honte contrarient notre représentation de la vie. Nous ne pouvons pas non plus faire comme si la foi en la présence secourable de Dieu allait balayer toutes nos difficultés. Certains auteurs spirituels nous laissent croire que la foi pourrait nous permettre d'éviter les problèmes. Ce n'est pas du tout le message de Jésus.

La joie de souffrir

Dans l'Église primitive, de nombreuses personnes partageaient ce point de vue. Elles croyaient au salut grâce à Jésus-Christ, à la guérison de leurs blessures, à la protection puissante de Dieu. Mais elles durent admettre que la réalité était toute différente. Elles furent poursuivies et harcelées par les autorités étatiques. Elles furent dénoncées. Elles dénotaient, dans la société de l'Antiquité tardive, qui ne désirait que du « pain et des jeux » *(panem et circenses)*. Pour beaucoup, cela constituait donc une véritable mise à l'épreuve de leur foi. L'auteur de la première épître de Pierre veut donner du courage aux chrétiens, pour qu'ils puissent affronter cette situation dans la foi. Et l'un des arguments avancés pour résister aux difficultés du monde est, pour lui, de se réjouir d'être confronté au même sort que le Christ : « Mais, selon que vous avez part aux souffrances du Christ, réjouissez-vous, pour que, lors de la révélation de sa gloire, vous vous réjouissiez et exultiez » (1 P 4, 13).

La joie liée à la souffrance comporte deux facettes. D'une part, la joie de connaître la même expérience que Jésus-Christ : elle devient même un hommage, car elle prouve que nous avons pris sur nous la souffrance du Christ. La souffrance est une sorte de distinction, elle nous permet de nous rapprocher du Christ. En souffrant, nous donnons des preuves d'amour. De telles pensées nous sont, dans un premier temps, étrangères. Mais lorsque nous aimons un être humain, la douleur que nous partageons avec lui, peut approfondir les liens qui nous unissent. La force de ces liens peut souder encore plus que les succès vécus en commun.

La souffrance, une distinction

La deuxième facette de cette joie éprouvée dans la souffrance est l'espoir d'entrer dans la gloire du Christ. De nos jours, nous avons du mal à accepter cette conception. Nous sommes allergiques à ces consolations trop rapides. Mais, lorsque nous souffrons d'une maladie incurable, la gloire éternelle qui nous attend peut nous aider à relativiser la souffrance, laquelle finit par perdre

son côté absurde. Par elle, nous revivons les douleurs de la mise au monde, celles de notre renaissance dans le ciel. La certitude que la souffrance
n'est qu'un passage, qui mène à la gloire éternelle
de Dieu, provoque déjà chez certaines personnes
une métamorphose. Par-delà les douleurs ressen-
ties, leurs yeux brillent et reflètent une joie qui
n'est pas de ce monde. Rencontrer un malade qui
n'éprouve pas d'amertume pendant sa maladie
mais qui est, au contraire, serein, est un cadeau
pour nous.

Lorsqu'en entretien, quelqu'un me parle de ses
problèmes, il m'est difficile de réagir comme l'auteur de la première épître de Pierre et d'exhorter
cette personne à se réjouir de prendre part aux
souffrances du Christ. Il me faut, d'abord, prendre
sa situation au sérieux. Parfois, j'ai le souffle
coupé en constatant combien de malheurs s'abattent sur une seule personne. J'ai ainsi rencontré
une femme qui avait perdu quatre de ses cinq
enfants, deux peu après la naissance et deux dans
des accidents de la circulation. Elle vit à présent
dans la crainte de perdre le cinquième. L'exhorter
à être dans la joie aurait relevé du mépris. Il fallait d'abord arriver à supporter ce destin incom-
préhensible et je devais l'aider à le porter. Je
devais me mettre à sa place, comprendre son
désespoir et son incapacité à prier. Ce n'est que
lorsque j'ai été prêt à traverser avec elle sa douleur et son désespoir que j'ai pu commencer,

délicatement, à lui indiquer une autre façon de
voir les choses : ses enfants décédés ne désire-
raient certainement pas qu'elle se rende la vie
encore plus difficile ; ils sont auprès de Dieu et
aimeraient l'accompagner sur son chemin ; ils
aimeraient quelle profite de cette vie qui lui est
offerte, qu'elle proclame qu'on ne peut ni dispo-
ser de la vie ni pénétrer son mystère. Tout à coup,
cette femme m'a
décrit un rêve dans
lequel un de ses fils
décédés lui appa-
rut rayonnant de
paix et de joie. Elle

*Espérer que la douleur
et le deuil se
métamorphosent*

n'avait jamais osé raconter ce rêve, de peur qu'on
la prenne pour une folle. Je l'ai encouragée à
prendre ce rêve au sérieux et à méditer sur son
sens.

Son fils veut la conduire dans un autre monde,
le monde de la paix et de la joie intérieures qui
viennent de Dieu.

J'ai beaucoup de mal à parler de la joie à quelqu'un qui me raconte sa détresse intérieure ou ses
difficultés dans la vie. Dans ces moments-là, me
vient à l'esprit le livre de Qohèlèt, pour lequel il
existe un temps pour pleurer et un temps pour
rire, un temps pour la tristesse et un temps pour
la joie (voir Qo 3). Il ne faut donc pas escamoter
le temps de la tristesse, il faut le vivre jusqu'au
bout. En même temps, je suis en droit d'espérer

qu'elle se transformera, que le temps de la plainte se métamorphosera en danse comme dans le psaume 30, 12 : « Pour moi tu as changé le deuil en une danse, tu dénouas mon sac et me ceignis d'allégresse. » Les larmes, les souffrances, le deuil, sont un des pôles de la vie. Ce pôle doit être pris au sérieux, mais je ne dois pas rester fixé sur lui. Il me faut garder à la conscience l'autre pôle, qui, lui aussi fait partie de la vie : la joie, la gaieté, la légèreté, l'espoir, la confiance. Lorsque je le considère, j'arrive à relativiser ma peine. Elle n'est plus comme un puits sans fond, car, en bout de course, à la pointe du chagrin, je finirai pas me heurter à la joie qui ne demande qu'à émerger. Et, en explorant les profondeurs de la joie, je tomberai sur la tristesse.

Quand nous pleurons, nous ne savons plus, parfois, si nous pleurons de joie ou de tristesse. Dans les larmes se mêlent le chagrin et la joie et les deux pôles sont réunis.

Douleur et joie

Je rencontre souvent cette union entre la joie et la douleur chez les personnes que j'accompagne spirituellement. Celui qui se confronte aux souffrances dues aux blessures de l'enfance et qui traverse cette douleur devient, ensuite, capable de vivre la transformation de la douleur en joie.

Prenons l'exemple d'une femme qui, de temps en temps, est assaillie par une profonde tristesse. Tant qu'elle ne la regarde pas en face, rien n'avance dans sa vie professionnelle. Elle se sent bloquée. Lorsqu'elle va au fond de cette tristesse, lui revient un douloureux souvenir d'enfance. Elle doit le regarder en face, c'est la seule façon de donner à sa tristesse une chance de se transformer en joie et vie. Il semble que la capacité à accepter la douleur et l'aptitude à ressentir la joie soient indissociablement liées.

La joie au cœur de la souffrance

Le Nouveau Testament ne parle pas seulement de la joie en rapport à la souffrance mais aussi de la joie dans la souffrance. Paul, surtout, a dit combien la souffrance le liait étroitement au Christ. Car, c'est dans ces moments-là qu'il a vécu le plus intensément en communion avec Jésus-Christ. La joie dans la souffrance est le thème de l'épître aux Phillippiens, que Paul a rédigée dans la prison d'Éphèse. Il sait qu'il va être exécuté, il est donc extrêmement menacé et c'est à ce moment-là qu'il exhorte les chrétiens à la joie : « Réjouissez-vous sans cesse dans le Seigneur, je le dis encore, réjouissez-vous. Que votre modération soit connue de tous les hommes. Le Seigneur est proche. N'entretenez aucun souci ; mais en tout

besoin recourez à l'oraison et à la prière, péné-
trées d'action de grâces, pour présenter vos
requêtes à Dieu » (Ph 4, 4-6). On comprend bien
ici ce qu'est la vraie joie pour Paul. La joie véritable, la joie dans le Seigneur, se manifeste justement dans la souffrance. Elle ne se laisse pas
détruire par des menaces venant de l'extérieur,
car elle est ancrée dans le Seigneur et dans le
Christ. Cette joie, Paul peut même la ressentir en
prison. En effet, dans sa cellule, enchaîné, pieds
et mains liés, il est dans le Christ. Le Christ est
pour lui comme un espace dans lequel il demeure
et qui l'arrache aux dangers de la prison.

La joie est comparée à la bonté et à l'insouciance. Le royaume de Dieu se manifeste par trois
attitudes : « Il est justice, paix et joie dans l'Esprit
Saint » (Rm 14, 17). La joie est donc une caracté-
ristique essentielle de l'être humain qui se laisse
déterminer par Dieu. Quand le Christ est vraiment
proche de moi, quand je me nourris de sa présence, quand je suis en relation constante avec
lui, je suis toujours d'humeur joyeuse. Il ne faut
pas se méprendre sur l'exhortation de Paul, et
penser qu'il veut dire : Réjouis-toi donc ! Paul veut
plutôt attirer notre attention sur l'essence de
l'être chrétien. Nous devons être attentifs à la présence du Christ, nous devons vivre de cette relation que nous avons avec lui. Notre façon d'être
sera alors déterminée par la joie. La bonté et l'insouciance expriment d'une autre façon le fait que

nous vivons dans le Christ. La joie n'est pas un plaisir personnel, au contraire, elle se manifeste dans la bonté, dans la douceur vis-à-vis de nos frères et sœurs. En grec, *epiekes* signifie ce qui est convenable, équitable, équilibré. Celui qui est content au fond de lui-même, parce qu'il est imprégné de la présence du Seigneur et non pas submergé par des difficultés pressantes, se comporte naturellement bien avec son prochain, c'est-à-dire avec bonté et avec douceur.

Joie et insouciance

L'insouciance fait aussi partie de la joie. Celui qui se fait constamment du souci à propos de sa vie ne peut pas se réjouir. L'exhortation de Paul correspond ici aux mots de Jésus qui attire notre attention sur les oiseaux du ciel et sur les fleurs des champs en nous rappelant : « Ne vous mettez donc pas en souci ! » (Mt 6, 31.) Paul aurait eu, dans sa prison, toutes les raisons de se faire du souci pour sa vie. Martin Heidegger écrit que le souci fonde l'existence de l'homme. L'être humain est dans le souci, il pense à sa vie, il rumine sur tout ce dont il a besoin pour vivre. Le mot grec qui signifie souci, *merimna,* vient de « diviser ». Le souci divise l'âme de l'homme. Il creuse des rides sur son visage, l'oppresse et le chagrine. Le mot allemand *Sorge* [« souci »] vient d'un mot qui signifie : « chagrin, maladie, inquiétude, peur, tourments ». Il exprime l'inverse de la joie, il met l'accent sur la tendance à se tourmenter, à se rendre malade. Il nous donne à voir un être qui ne sait pas jouir de ce qu'il a, si grande est son inquiétude, un être qui n'est jamais vraiment là où il est, toujours inquiet de l'avenir. De telles personnes ne sont même pas capables de jouir d'une belle journée de vacances ensoleillée ; elles craignent, en effet, que n'éclate un orage ou qu'il pleuve le lendemain. Elles ne savent pas apprécier un bon repas de peur d'être un jour dans le manque. Elles ne se réjouissent pas d'une conversation, elles se préoccupent surtout de savoir si elles ont fait bonne impression.

Le souci divise le cœur humain. La joie le réunifie

Le souci divise le cœur humain et ne le laisse jamais se réjouir et jouir du moment présent. La joie réunifie le cœur. On ne peut être joyeux qu'avec tout notre cœur. Le souci peut se volatiliser, certains peuvent se perdre dans leurs soucis, il est donc tout à fait opportun d'exhorter à la joie comme le fait Paul. L'appel à la joie ne nous demande pas de faire naître en nous une humeur toute particulière, mais de considérer la réalité dans toutes ses dimensions pour y percevoir, à tout moment, la présence du Seigneur. Ma vie changera alors, car je verrai le monde d'un regard neuf. Quand le Seigneur est tout proche, lui qui m'aime, qui comble mes désirs les plus profonds, bien des choses me paraissent alors sans importance. Une femme, qui se faisait énormément de soucis, qui se rongeait d'inquiétude, me raconta un jour qu'elle avait rêvé qu'un jeune homme se dirigeait vers elle et lui adressait des regards amicaux. Elle comprit tout à coup : Si cet homme m'aime, je peux laisser de côté bien des choses, tout s'arrangera, la joie entrera à nouveau dans ma vie et le souci en sortira.

La joie, à laquelle Paul nous appelle n'est pas comparable à l'euphorie. Elle signifie que la joie peut nous accompagner même dans la douleur. Qu'il soit en prison ne l'empêche pas d'écrire sur la joie. Ainsi, notre joie ne sera authentique que lorsque nous regarderons la prison dans laquelle nous sommes enfermés. Nous percevrons à ce moment-là combien nous sommes dépendants de personnes qui nous tiennent sous leur coupe. Nous prendrons conscience des blessures subies dans notre vie, lesquelles nous maintiennent dans des cadres préétablis et nous empêchent de vivre libres. Il ne faut rien refouler, mais présenter à Dieu tout ce qui est en nous, ce qui nous pèse, ce qui nous oppresse, ce qui nous enchaîne. Dans ces conditions seulement, notre joie sera authentique. Paul nous demande ceci : « N'ayez aucun souci, mais en tout, par la prière et la supplication avec action de grâces, faites connaître à Dieu vos demandes » (Ph 4, 6). Nous devons exposer à Dieu ce que nous ressentons au lieu de nous laisser submerger par les tourments. Une fois ces soucis présentés à Dieu, leur métamorphose pourra s'opérer. Oui, nous devons soumettre nos problèmes à Dieu avec reconnaissance, convaincus qu'il nous faut accepter ce qui nous inquiète et que, en nous, rien n'est mauvais. Nous ne doutons pas que nous devons rendre grâce à Dieu pour tout, qu'il ne nous veut que du bien, même lorsque nous sommes en prison. Dans ces moments-là aussi, il nous tend la main.

Les Pères de l'Église ont souvent commenté l'exhortation de Paul : « Réjouissez-vous ! » Pour eux, la question est de savoir comment se réjouir malgré les vicissitudes inévitables de la vie. Ainsi, Jean Chysostome pose la question suivante dans un sermon :

« Comment est-il possible, de se réjouir constamment, alors que nous sommes humains ? »

« Comment est-il possible, dit-on, de se réjouir constamment, alors que nous sommes humains ? Ce n'est pas difficile de se réjouir ; mais de se réjouir toujours, cela ne me semble pas possible. C'est ce qu'on pourrait peut-être dire. Nous sommes exposés à tant de détresses qui nous privent de tout élan joyeux. On perd un fils ou sa femme ou un ami fidèle qui nous est plus proche que notre famille.

On subit une perte d'argent, on tombe malade ou on est victime d'autres accidents de la vie. Il arrive aussi qu'on soit affligé à cause de blessures d'honneur. Une augmentation des prix, la peste, un impôt trop lourd, des soucis domestiques peuvent aussi survenir. Nous serions bien incapables d'énumérer tout ce qui peut, dans notre vie privée ou publique, nous plonger dans la tristesse. Comment est-il donc possible, dit-on, d'être constamment joyeux[1] ? »

Ensuite, Jean Chrysostome nous montre une voie, qui nous permet de nous réjouir tout le temps. Tous les humains, dit-il, « ont un désir de se réjouir, d'être joyeux : c'est ce vers quoi tendent toutes leurs actions et leurs discours ». Mais, seuls quelques-uns connaissent ce chemin qui mène à la joie durable. Nous ne pouvons vivre cette expérience que si nous nous réjouissons en Christ. « Aucun hasard ne peut priver de cette joie celui qui se réjouit dans le Seigneur. Toutes les autres causes de réjouissance sont instables, fugitives et sont facilement soumises au changement. » Celui qui est dans le Seigneur, celui qui craint Dieu, peut rester dans la joie, même s'il lui arrive malheur. « Au contraire : Ce qui est cause de tristesse pour les autres, fera grandir ta joie ; car les coups du sort, la mort, les pertes, les

---

1. Jean Chrysostome, *Homélies* 18,1-2 (d'après : Alfons Heimann, éd., *Texte der Kirchenväter*, Munich, 1964, p. 297).

diffamations, l'injustice qui s'abattent sur nous, et toutes sortes de souffrances emplissent notre cœur de bonheur, quand elles nous atteignent par la volonté de Dieu et qu'elles ont leur origine en Dieu. Nul ne peut nous rendre malheureux en dehors de nous-mêmes[1]. »

Les Pères de l'Église se posent donc la question de savoir comment être heureux dans un monde où règnent souvent la souffrance et la détresse. Ils évoquent la joie éprouvée en Dieu, grâce à Dieu et la joie éprouvée en Jésus-Christ. Car, seule cette joie peut nous permettre de dépasser les événements malheureux. Ainsi, le désir de la joie authentique, qui habite chaque homme, est toujours un désir de Dieu, qui est le seul à pouvoir nous offrir cette joie durable et indestructible.

---

1. *Ibid.*, 18, 4 (p. 306).

La joie et la fête

L A JOIE AIME À S'EXPRIMER. La meilleure façon d'exprimer la joie est la fête et cela est vrai dans toutes les religions. L'Ancien Testament évoque souvent la joie et l'allégresse liées aux fêtes des pèlerinages. Le peuple était alors en liesse pour commémorer les saintes actions accomplies par Dieu. Célébrer une fête constituait toujours pour le peuple d'Israël une façon de privilégier la joie et de faire reculer la peur qui entrave la vie, tout en éloignant la souffrance et la mort dont il faisait quotidiennement l'expérience. Une fête signifiait l'irruption de quelque chose de nouveau dans la vie de ce peuple. Il sentait dans ces moments-là que Dieu était le Seigneur et que la vie avait un sens. Les croyants se souvenaient avec bonheur de la beauté du service divin dans le Temple de Jérusalem. Tout y était joie et jubilation. Voici d'ailleurs la prière du psalmiste : « Oui, je me souviens, et mon âme s'épanche, je m'avançais sous le toit du Très-Grand, vers la maison de Dieu, parmi les cris de joie, l'action de grâces, la rumeur de la fête » (Ps 4, 5). Le service de Dieu célébré en commun était sûrement pour le peuple d'Israël le moment le plus intense d'une expérience de Dieu vécue dans la joie.

Joie et fête chez les Grecs

Chez les Grecs, la fête et la joie étaient liées. En célébrant les dieux, les participants devenaient comme immortels. Lors des fêtes, la danse, le jeu, la bonne chère jouaient un rôle important, mais c'est le chant qui occupait la plus grande place. « Le cœur est comblé, quand le chanteur imite les sons divins ; il n'y a pas de vie plus agréable que lorsqu'un peuple tout entier organise une fête de la joie[1]. » Le mot grec pour « joie » est *chara,* dont le sens se rapproche de l'excitation et de la passion. Il évoque la joie extatique et l'ivresse que le peuple ressentait lors de ces fêtes, particulièrement lors des fêtes de Dionysos. Dionysos était

---

1. Otto Michel, « Freude », dans *RAC* VII, Sttutgart, 1972, p. 366.

messager de la joie. C'est surtout le vin et la poésie qui apportaient la joie aux Grecs. Lors de ces fêtes, la musique et la danse anesthésiaient la conscience, afin que chacun s'oublie, se laisse étourdir par l'exaltation, c'est-à-dire afin que l'homme s'anéantisse dans la Divinité.

Joie de la fête pour les chrétiens

Les premiers chrétiens ont poursuivi la tradition des Juifs et des Grecs. L'office divin était pour eux le moment où ils partageaient leur joie. Ils ont très tôt fêté Pâques, car ils voyaient dans la résurrection d'entre les morts de Jésus-Christ le réveil de la nature et le souvenir de la sortie d'Égypte. Ils célébraient la victoire de la vie sur la mort, la victoire de la joie sur la souffrance. Ils exprimaient la joie de Pâques par des chants et des danses.

La tradition du « rire de Pâques »

Au Moyen Âge, il était courant que le prêtre amuse les fidèles par des bons mots. La tradition du « rire de Pâques » voulait exprimer que la vie et l'amour avaient vaincu la rudesse et le froid. L'essence de la fête de Pâques est claire : elle est « affirmation et accroissement de l'existence[1] ». La

---

1. Kurt Meissner, *Über die Freude. Bemerkungen zu einer Philosophie der Zustimmung zur Welt*, Hambourg, 1992, p. 26.

fête est consentement au monde, ouverture de l'existence sur Dieu. De plus, d'après Ernst Bloch, le pays natal est un élément constitutif de la fête. Dans la fête, une fenêtre s'ouvre et la patrie éternelle resplendit. La musique fait également partie de la fête et l'homme y savoure, comme le dit l'astronome Johannes Kepler cité par Ernst Bloch, « la joie créatrice de Dieu, goûtant le plaisir le plus intense devant son œuvre, comme le lui permet la musique aux accents divins[1] ». Lors d'une fête, nous nous réjouissons de l'action de Dieu sur la création et sur le monde.

Dans l'histoire de la liturgie, on peut remarquer qu'au cours du temps le besoin de fêtes est devenu de plus en plus grand. On a voulu sans cesse renouveler le mystère de la vie nouvelle en Jésus-Christ, à Noël, le jour de l'Ascension, celui de la Pentecôte ou celui de la Transfiguration de notre Seigneur Jésus-Christ, mais aussi lors des fêtes dédiées à Marie et aux saints. Ces fêtes ont constitué une tentative de donner une dimension humaine à la joie éprouvée en Dieu. Les fêtes de la Vierge traduisent la joie de voir Marie choisie pour devenir la mère du Fils de Dieu. Les hommes ont aussi fêté le mystère de leur propre rédemption ou de leur guérison. Les fêtes de la Vierge sont toujours joyeuses, pleines de poésie et

---

1. Ernst Bloch, *Prinzip Hoffnung [Le Principe Espérance]*, Francfort, 1959, p. 1252.

d'inventivité. Le jour des saints, on ne célèbre pas seulement la personne du saint, mais Dieu lui-même, qui, de diverses façons, mène l'homme à l'accomplissement, guérit ses blessures et lui montre les multiples possibilités dont il est porteur.

L'art de célébrer une fête

De nos jours, beaucoup d'entre nous ont des difficultés avec les fêtes chrétiennes. Certains disent qu'ils ne peuvent pas se réjouir simplement parce que c'est Pâques ou Noël. Ils sont tellement occupés d'eux-mêmes qu'ils ne sont pas capables de se laisser aller à goûter la joie d'une fête. Cela prouve bien la détresse dans laquelle se trouve l'homme d'aujourd'hui. Il ne célèbre que son propre ennui, il ne fête que ses blessures et ses vexations, sa douleur et sa tristesse, il est donc devenu tellement narcissique qu'il ne peut avoir aucun recul. La fête est une invitation à oublier ce qui nous oppresse, à ouvrir notre cœur à Dieu, qui nous apporte la joie. Il est vrai que l'on n'éprouve pas automatiquement de la joie lors d'une fête. Si nous sommes d'humeur morose, rien ne nous empêche de participer à une fête et de renouer avec cette joie qui nous habite en permanence, qui n'est que momentanément masquée par la douleur et le chagrin. Il ne faut pas se forcer, ce serait artificiel. En nous coexistent les deux pôles :

joie et tristesse, joie et morosité. Mais le narcissisme ne nous laisse entrevoir qu'un seul pôle, nous nous laissons aller au découragement et tombons dans la dépression. Célébrer une fête ne signifie pas fermer les yeux devant les problèmes. Il s'agit bien plus de les considérer d'un autre point de vue et de prendre du recul par rapport à eux. Ils font partie de la vie, mais ne sont pas toute la vie. Nous pouvons les laisser de côté pour apprécier les aspects positifs de la fête.

Si je profite pleinement de la fête, sans rester rivé à mes émotions, sans me soumettre à une pression trop forte, alors la joie pourra s'épanouir en moi, quelle que soit mon humeur. Tout à coup, je sentirai combien tout est relatif aux yeux de Dieu qui, lui, peut tout transformer. La réalité qui m'accable

Si je me laisse aller à l'ambiance festive, je vais permettre à la joie qui est en moi, d'affleurer

tant n'aura soudain plus de pouvoir sur moi et je verrai que cette façade me cache la vie véritable. Mais, attention, là encore il faut absolument éviter toute pression. Pourtant, cette année, à Pâques, ma joie pourra être différente de celle ressentie l'année passée. Cette joie ne sera peut-être que très légère, mais elle viendra dissiper un peu ma tristesse. Je célèbre la fête dans l'état d'esprit où je me trouve à ce moment-là. Et j'espère que cette fête pourra m'apporter un peu de lumière et de joie.

La fête montre aussi un autre aspect de la joie : la joie partagée. Se réjouir ensemble renforce la joie, et le groupe peut nous aider à approfondir cette joie. Cela commence par la préparation du lieu de la célébration du service divin ou de la réception, s'il s'agit d'un anniversaire ou d'un jubilé. La joie a besoin d'un cadre pour pouvoir s'épanouir. Un aspect essentiel de la joie est aussi la parole, le texte qui sera prononcé. Qu'il s'agisse d'un sermon ou d'un discours, les mots doivent s'accorder à la circonstance.

Il ne faut pas tomber dans l'euphorie ou l'exagération, mais il ne faut pas non plus rester froid et distancié. Certains orateurs ont peur de laisser transparaître leurs émotions. *La joie est toujours une joie partagée* L'auditeur remarque tout de suite, aux mots et au ton employés, si la joie l'emporte ou si derrière le pathos se cachent le vide et la peur, la dépression et la morosité. Les mots qui expriment la joie doivent être à la hauteur de l'événement célébré.

Le chant est une des manifestations essentielles de la joie. Lors de fêtes profanes, écouter un chœur peut constituer un motif de se réjouir. Mais, lorsque tout le monde chante, l'intensité du partage est bien plus forte. On le sent à la messe, lorsque les fidèles se laissent emporter par le cantique et chantent avec ferveur. Certains prêtres se contentent de choisir pour la messe des cantiques, certes en accord avec les textes du jour, mais oublient de prendre en compte le côté émotionnel de la musique. Cela vaut surtout pour les cantiques de la Vierge. Si certains paraissent désuets et infantilisants, ces cantiques anciens touchent pourtant le cœur de l'homme. Ils sont pleins de poésie et de joie, car ils célèbrent un Dieu humain et maternel. Ces cantiques nous rappellent notre enfance, l'amour et la protection, l'impression d'être porté par la foi des autres.

Joie et chant

La culture du chant permet aussi d'exprimer une joie authentique. Cela commence par le registre de la voix. Bien des fidèles chantent avec une voix de basse, en prétextant ne pas pouvoir monter plus haut dans l'aigu. Godehard Joppich[1] m'a dit un jour que, dans le chant liturgique, le chanteur est grandement responsable de l'atmosphère générale. S'il commence à chanter comme s'il était dans son salon, la liturgie n'atteindra pas la magnificence attendue. Chacun chante alors

---

1. Godehard Joppich (né en 1932), moine bénédictin, a été cantor à l'abbaye de Münsterschwarzach et a enseigné le chant grégorien [N.d.T.].

pour soi, sans donner de la voix et sans faire don de son cœur. On a peur d'afficher son émotion, on a peur de la joie qui pourrait faire irruption.

On préfère rester dans le détachement pour ne pas avoir à annoncer la couleur. Lors d'une heure de chant avec les jeunes qui venaient à la chorale de Pâques, Godehard Joppich entonna le *Hagios o theos* du vendredi saint d'une voix très haute. Quelques-uns se mirent à protester et il leur répliqua : « Il faut à un moment donné abandonner le confort de son canapé, se mettre debout et chanter. C'est ainsi qu'on montre si on croit ou pas. » Il faut donc quitter le confort du salon, se consacrer de tout cœur au chant, s'abandonner corps et âme et la joie se répandra dans la célébration liturgique et envahira les autres.

Abandonner le confort du canapé, se mettre debout et chanter

Pour Platon le mot grec *chara*, la joie, dérive de *choros*, le chœur. Augustin a, lui aussi, beaucoup réfléchi sur le chant. Pour lui, il est l'expression de l'amour. Mais c'est aussi un moyen d'entrer en contact avec sa joie intérieure. Il parle d'une joie qui ne trouve plus les mots pour s'exprimer, un chant sans paroles, qu'il nomme *jubilus*. Augustin a entendu ce chant sans paroles chez les vignerons. « Ceux qui chantent en récoltant, en ramassant les raisins ou en accomplissant tout autre travail difficile, commencent d'abord à exprimer leur joie avec des paroles et des chants. Cependant, lorsqu'ils sont si plein de joie qu'ils ne peuvent plus la dire par des mots, ils se détournent des mots et des syllabes et passent à la jubilation. Le *jubilus* correspond à un ton qui permet au cœur d'exprimer ce qu'on n'est plus capable de dire. Et à qui peut s'adresser un tel *jubilus* si ce n'est au Dieu inexprimable[1] ? » Le grégorien, dans sa mise en musique de l'*Allelluia*, s'est approprié ce chant sans paroles. On y chante la lettre *A* sur une longue suite de notes. Dans les pays alpins, la tradition a persisté dans les chants tyroliens. Cela correspond bien au besoin d'exprimer une joie qui ne trouve pas de mots.

---

1. Augustin, PL 36, p. 283.

À chacun son « Magnificat »

LORSQUE, dans les années soixante-dix, notre communauté traversa une crise difficile, nous nous sommes interrogés, en puisant dans la tradition théologique, sur les racines de notre foi et de notre vie monacale. Nos fondements en sont sortis renforcés, ce qui nous a permis de dépasser la crise. Pendant ces journées de réflexion théologique, le Père Meinrad nous a invités à écrire dans le silence un *Magnificat*. Le *Magnificat* est le cantique de louanges que Marie a entonné lors de sa visite à Élisabeth. Ce psaume était chanté, autrefois, chaque soir pour les vêpres. Nous le chantons tous les samedis et à l'occasion de nombreuses fêtes. L'évangéliste Luc a repris, dans ce chant, des vers, utilisés à l'époque par les « pauvres du Seigneur ». Le *Magnificat* rappelle aussi la façon dont étaient récités les psaumes à Qumrân. Marie utilise des mots qui traduisent l'expérience qu'elle fait de Dieu. Nous pouvons donc comprendre ce chant de louanges comme un chant d'allégresse, rendant grâce à Dieu de ce qu'il a fait pour nous.

D'après la traduction œcuménique ce chant commence ainsi :

> Mon âme magnifie le Seigneur,
> et mon esprit exulte en Dieu mon sauveur,
> parce qu'il a jeté les yeux sur la bassesse de son esclave.
> Car voilà que désormais toutes les générations me proclameront heureuse ;
> parce que le Puissant a fait pour moi de grandes choses ;
> et Saint est son nom (Lc 1, 46-49).

Je peux écrire ma propre prière suivant ce modèle. Il n'est pas nécessaire de m'acharner à rechercher ce que Dieu a fait pour moi. Il vaut mieux que j'écrive sans trop réfléchir, que je suive le mouvement de ma main plutôt que celui de mon esprit. C'est en écrivant que surgiront les idées : je saurai pour quelles raisons remercier Dieu et me réjouir. Je loue Dieu, parce qu'il m'a

crée, parce qu'il a réalisé en moi son projet, parce
qu'il m'a conduit, au travers des aléas de la vie, à
être ce que je suis. Je le remercie de m'accompagner sur mon chemin et de me tendre sa main pro-
tectrice. Dieu a toujours jeté sur moi un regard
compatissant, car je suis important pour lui et il
m'aime. Ce regard aimant et bienveillant est déjà
une bonne raison de me réjouir. Je ne suis pas un
simple numéro, Dieu prend soin de moi, quand il
veille à ce que mon pied ne heurte pas la pierre
(voir Ps 91,12).

En écrivant ce *Magnificat* personnel, nous vin-
rent à l'esprit les psaumes que nous récitions
chaque jour, sans vraiment méditer sur leur sens.
Cette fois, il s'agissait de nos propres vers, de l'expression de notre propre expérience de Dieu.
Nous pouvions dire : « Tu élargis mes pas sous
moi » (Ps 18, 37), et nous sentir directement
concernés. Ou bien : « Mes yeux sont toujours
fixés sur le Seigneur, car il tire mes pieds du filet »
(Ps 25, 15). Ou bien encore : « Seigneur, tu as tiré
mon âme du shéol » (Ps 30, 4), « Mais voici Dieu
qui vient à mon secours » (Ps 54, 6). Chacun a pu
trouver dans sa vie suffisamment d'exemples et se
souvenir de situations où il a pu dire : « Dieu a fait
de grandes choses pour moi. »

Lorsque je revois le déroulement de ma vie à
la lumière de mon propre *Magnificat*, je ne ferme
pas les yeux sur les périodes sombres de ma vie.
Mais je considère ces situations difficiles sous un

autre angle. En effet, même dans ces moments-là, Dieu a fait de grandes choses pour moi, car il m'a accompagné quand j'ai traversé la peur et la détresse, le désespoir et l'obscurité, la solitude et le vide, il m'a conduit vers la liberté. Je sais bien qu'il ne va pas de soi d'être en vie et en bonne santé. J'admets volontiers qu'il n'est pas évident de rester créatif, d'aimer la vie, d'entreprendre, de communiquer. Il n'est pas facile non plus d'être en paix au fond de son cœur et de se régénérer en cherchant Dieu.

Les autres versets du *Magnificat* ne décrivent pas seulement les œuvres de Dieu dans l'histoire, mais l'action de Dieu sur moi : Dieu a pitié de moi, il ressent ce que j'éprouve, il ne me juge pas lorsque je regarde mes propres fautes et me montre impitoyable envers moi-même. Il fait disparaître mon orgueil en me confrontant à ma propre faiblesse. Il détruit la fierté par laquelle je me place au-dessus des autres et me berce d'illusions. Il détrône mon *ego* surdimensionné, qui me coupe de la vie authentique parce qu'il n'est tourné que vers lui-même et parce qu'il s'accroche à son trône.

Dieu honore en moi ce qui est pauvre et petit

Dieu honore en moi ce qui est pauvre et petit. Ce que je préfère enfouir au plus profond de moi s'avère être un trésor, une source de créativité et de beauté. Il élève ce qu'il y a de plus petit en moi. Il inverse le haut et le bas. Quand j'étais effondré, abattu par l'échec, sans forces, il m'a relevé. Il a bousculé mon échelle de valeurs, ce qui a été positif pour moi et a apporté de la nouveauté dans ma vie. Par ses dons, il apaise ma faim. Il apaise ma faim d'amour et de vie. Mais, alors que je me croyais riche, que je croyais tout avoir, il me fait sentir l'inanité de tout, il me révèle que mes mains sont vides. Il me prend en charge. Le verbe latin *suscepit* signifie : « relever quelqu'un qui est en train de tomber, remettre quelqu'un sur ses pieds, le prendre comme un enfant, le porter ». Dieu m'a toujours rattrapé lorsque je suis tombé. Il m'a relevé lorsque je me laissais aller. Il m'a porté comme un enfant, accepté sans condition, tel que j'étais. Il a fait tout cela par compassion, parce qu'il ressent ce que je ressens.

Lorsque chacun eut écrit son propre *Magnificat*, une tout autre ambiance emplit la pièce. Plus aucune plainte ne se fit entendre sur les frères qui ne respectaient pas l'ordre. La résignation devant des problèmes apparemment insolubles cessa. La joie que chacun ressentit en récitant sa prière se répandit dans la salle et contamina tous les frères. Les discussions furent moins tendues, nous avons même pu rire. Nous cessâmes de craindre que les frères plus anciens aient du mal à accepter nos méthodes et nos propositions. Nous avons senti tout ce qui nous reliait et, lorsque nous avons chanté le *Magnificat* au cours des vêpres, il s'est trouvé enrichi des expériences de chacun. Nous chantions les mêmes paroles, mais en elles résonnaient le destin et les désirs de chacun.

Nous avons percé le mystère de la joie qui se démultiplie lorsque nous chantons ensemble, nous avons perçu la puissance de la joie qui devient une bénédiction pour les autres. Les fidèles qui viennent dans notre église perçoivent tout de suite si notre prière est empreinte de lassitude et de frustration ou si elle est portée par la joie et l'amour. La

Renouveau du désir, imagination et créativité renouvelées

joie éprouvée en récitant notre propre *Magnificat* se répandait et se transformait en un désir renouvelé d'avancer ensemble vers l'avenir. Soudain, les capacités d'imagination et de créativité de la communauté se développèrent. Celle-ci put réfléchir à la mission qu'elle avait pour notre époque. Nous avons cessé de nous demander si nous étions ou non dans l'air du temps. Nous avions compris que, puisant dans notre tradition vieille de mille cinq cents ans, nous avions des réponses aux problèmes du moment.

Cette expérience vous incitera peut-être à écrire votre propre *Magnificat.* Je souhaite que vous trouviez les mots et que votre cœur se remplisse de joie. Vous pouvez certes écrire seul cette prière, mais vous pouvez aussi bien saisir une occasion, comme la fin de l'année ou une fête de famille, pour vous y mettre à plusieurs. Naturellement, chacun écrit d'abord pour soi et peut, ensuite, échanger avec les autres. Il est possible, par exemple, de rassembler toutes les feuilles et de choisir de lire un *Magnificat* tiré au hasard. Peu importe l'auteur du texte, je peux le méditer et partager l'expérience de quelqu'un d'autre. Cette expérience me rappellera la mienne ou fera surgir des souvenirs que j'avais refoulés ou que je n'avais pas su mettre en mots. Tout le monde peut, ensuite, échanger sur les textes et partager ses impressions d'écriture.

Vous verrez à quel point cela changera les rapports dans un groupe ou dans une famille. Vous établirez ensemble de nouveaux projets, vous aborderez différemment les problèmes. Je souhaite que la joie qui naîtra alors vous relie davantage et qu'elle devienne une source vive, une source d'où jailliront la vie et l'énergie qui vous poussera à agir et à répandre la joie autour de vous. Je souhaite que vous restiez relié à cette joie profonde, même accablé de problèmes. Si votre regard est illuminé par la joie, vous transmettrez aux autres la sève de la vie et serez pour eux une source de gaieté.

Table

Cet ouvrage a été composé
par Atlant'Communication
aux Sables-d'Olonne (Vendée).

Achevé d'imprimer
sur les presses de
Corlet Imprimeur S.A.
en mai 2008

N° d'imprimeur : 113154
Dépôt légal : juin 2007